COLEÇÃO
LEITURA E FORMAÇÃO

INTERAÇÃO E MEDIAÇÃO DE LEITURA LITERÁRIA PARA A INFÂNCIA

INTERAÇÃO E MEDIAÇÃO DE LEITURA LITERÁRIA PARA A INFÂNCIA

Autoras: Flávia Brocchetto Ramos
Neiva Senaide Petry Panozzo

São Paulo
2011

© Flávia Brocchetto Ramos e Neiva Senaide Petry Panozzo, 2011

1ª Edição, Global Editora, São Paulo 2011

Diretor Editorial
Jefferson L. Alves

Editor Assistente
Gustavo Henrique Tuna

Gerente de Produção
Flávio Samuel

Coordenadora Editorial
Arlete Zebber

Preparação
Tatiana F. Souza

Revisão
Luciana Chagas

Foto de Capa
Iofoto/Shutterstock

Capa
Eduardo Okuno

Dados Internacionais de Catalogação na Publicação (CIP)
(Câmara Brasileira do Livro, SP, Brasil)

Ramos, Flávia Brocchetto
  Interação e mediação de leitura literária para a infância / Flávia Brocchetto Ramos, Neiva Senaide Petry Panozzo. – São Paulo : Global, 2011. – (Coleção Leitura e formação)

Bibliografia.
ISBN 978-85-260-1586-9

1. Hábitos de leitura 2. Leitores 3. Literatura infantil 4. Livros e leitura I. Panozzo, Neiva Senaide Petry. II. Título. III. Série.

11-11921   CDD-370.1523

Índice para catálogo sistemático:
1. Crianças : Formação de leitores : Mediação de leitura   370.1523

Direitos Reservados
Global Editora e Distribuidora Ltda.

Rua Pirapitingui, 111 – Liberdade
CEP 01508-020 – São Paulo – SP
Tel.: (11) 3277-7999 – Fax: (11) 3277-8141
e-mail: global@globaleditora.com.br
www.globaleditora.com.br

Obra atualizada conforme o **Novo Acordo Ortográfico da Língua Portuguesa**

Colabore com a produção científica e cultural.
Proibida a reprodução total ou parcial desta obra sem a autorização do editor.

Nº de Catálogo: **3279**

INTERAÇÃO E MEDIAÇÃO
DE LEITURA LITERÁRIA
PARA A INFÂNCIA

No princípio era o traço. Porque no princípio, ainda hoje é o traço. Nas mãos de uma criança que abre um livro em um dia qualquer, juntas, escrita e ilustração são berço de início: a escrita nasce em imagens de palavras associadas, a ilustração brota em histórias de cores, formas, texturas e volumes...

Gláucia de Souza

SUMÁRIO

Agradecimentos 11

Apresentação – Mediação e leitura literária
Regina Zilberman 13

Desenhando o cenário... 19

I – Palavra e ilustração: amizade antiga................................ 23
    Imagem nos livros do passado 23
    Peculiaridades da ilustração 34
    Olhando mais de perto 40
    Passeando por alguns livros... 44
    Bases para a leitura de narrativas 49
    Complexidade da leitura verbo-visual................................. 55
    Imagens nos livros hoje 58
        Eixos narrativos 59
        Denúncia 63

Desafio 66
Trajetória da imagem 68

II – Leitura do texto literário híbrido 72
A natureza e a cultura em cena numa
narrativa verbo-visual 75
    A capa como a embalagem do livro 76
    Aspectos organizadores da narrativa 78
    O fio condutor 80
    O desenrolar do fio 81
    Uma possível leitura da obra escolhida 85
    Leitura do conto cumulativo por crianças 88
    Limitações na leitura literária: a primazia
    da palavra e o tom pedagogizante 93
    A proposta de mediação de leitura para
    Ah, cambaxirra, se eu pudesse 95
    Testagem do roteiro de leitura: contexto,
    dinamização e reação das crianças 102
    Indicadores da análise de aplicação do roteiro 110

Em cena o bobo, a princesa, a corte e o diabo
na leitura verbo-visual 117
    Olhando o objeto pela capa 117
    Ingressando na narrativa 118
    Possível atuação do leitor no texto 123
    A recepção: interação e diálogo com a narrativa 131
    Vivência da leitura na escola:
    "história de pegar trouxa" 140

Para virar a última página 147

Bibliografia 150

Agradecimentos

À Universidade de Caxias do Sul (UCS), por acolher e viabilizar a pesquisa; à Fundação de Amparo à Pesquisa do Estado do Rio Grande do Sul (FAPERGS), que apoiou a investigação por meio do Edital PROAD/2 e de bolsas de iniciação científica; e ao Conselho Nacional de Desenvolvimento Científico e Tecnológico (CNPq), pelas bolsas de iniciação científica.

Aos bolsistas de iniciação científica Thiago Klohn, Taciana Zanolla, Elisa Marchioro Stumpf e Maraísa Mendes.

Às direções de escola, aos professores que nos acolheram e, em especial, aos alunos que participaram como sujeitos, tanto nas entrevistas como na aplicação dos roteiros.

Aos familiares, por entenderem nossas ausências ou nossa presença-ausente.

APRESENTAÇÃO

Mediação e leitura literária

Desde seu aparecimento, há alguns milênios, a escola esteve encarregada da transmissão da tradição literária. Itamar Even-Zohar lembra que os sumérios já dispunham de uma instituição à qual competia a reprodução de obras consideradas canônicas, requerendo para tanto profissionais habilitados ao exercício dessa função – os professores que, na época, desempenhavam também o papel de sacerdotes.[1]

Foram os mesmos sumérios que utilizaram, pela primeira vez na história da humanidade, a escrita, inventando um sistema de sinais gráficos, de tipo cuneiforme, para registrar suas posses e anotar os bens que circulavam em diferentes mercados, em decorrência de

---

[1] Cf. EVEN-ZOHAR, Itamar. La literatura como bienes y como herramientas. In: VILLANUEVA, Dario; MONEGAL, Antonio; BOU, Enric (Orgs.). *Sin fronteras*: ensayos de literatura comparada em homenaje a Claudio Guillen. Madrid: Castalia, 1999.

atividades comerciais.² Já se vê que a história da escrita, a da escola e a do ensino nasceram entre o povo sumério, embora esses processos não tivessem acontecido simultaneamente, nem – e esse ponto é importante – decorressem de incumbências semelhantes.

Com efeito, o nascimento da escrita decorreu de uma necessidade prática – a de garantir os direitos de propriedade, a qual, trocando de dono, requeria um registro independente e confiável. Por sua vez, os textos canônicos asseguravam as tradições religiosas, que se relacionavam à memória cultural do povo e precisavam ser legadas às sucessivas gerações, sem que se perdessem suas qualidade e distinção. Trata-se, em ambos os casos, do estabelecimento de arquivos, com os quais lidavam professores e alunos, mas o material gravado neles tinha outra natureza e outro significado.

A escola – quando secularizada pelos gregos a partir do século V a.C., e cujo modelo foi herdado pelos povos que os sucederam desde a Antiguidade até a Renascença, e mesmo depois – não renunciou à tarefa para a qual foi gerada, constituindo-se desde então o espaço preferencial para a difusão de obras poéticas consideradas canônicas – tanto por seu caráter exemplar enquanto arte, como por seu papel agregador perante a coletividade que traduzia e que se reconhecia nela, de que são representantes a *Ilíada* e a *Odisseia*, de Homero, para os helenos. Contudo, a escola assumiu igualmente a função de propiciar a seus usuários o domínio da escrita, seja como leitores, seja como produtores habilitados à elaboração de textos.

Desse ponto em diante, o indivíduo encarregado dessas tarefas adotou outra denominação – não mais a de sacerdote, mas a de *grammaticus*,³ focado no conhecimento da língua e na difusão da

---

2 Cf. BÁEZ, Fernando. *História universal da destruição dos livros*: das tábuas da Suméria à guerra do Iraque. Tradução Léo Schlafman. Rio de Janeiro: Ediouro, 2006; e JEAN, Georges. *A escrita*: memória dos homens. Tradução Lídia da Mota Amaral. Rio de Janeiro: Objetiva, 2002.
3 Cf. KENNEDY, George A. *A New History of Classical Rhetoric*. Princeton, NJ: Princeton University Press, 1994.

literatura. Também desse ponto em diante, a escola estruturou sua ação a partir dessas duas vigas mestras – a aprendizagem da escrita, por meio do letramento, vale dizer, do conhecimento e emprego do código de sinais que responde pelo alfabeto, e a introdução à literatura, representada pelas obras consideradas representativas do passado artístico e cultural de uma coletividade ou de uma nação –, tendo como seu executor o professor, herdeiro do *grammaticus* de outrora, profissional leigo e habilitado ao exercício de tais funções graças à sua formação e à sua inserção em uma instituição formal dedicada à educação.

As transformações por que passou a sociedade contemporânea nas últimas décadas do século XX, em decorrência do acelerado processo de industrialização, da difusão da cultura de massa e da globalização, não foram indiferentes ao funcionamento da escola, já que esta não poderia mais repetir o posicionamento adotado no passado, nem levar adiante suas práticas convencionais. Mudanças mostram-se, desde então, imprescindíveis, mobilizando profissionais do ensino a ações inovadoras, única alternativa viável para a manutenção da escola enquanto espaço não apenas de aprendizagem, mas também de desenvolvimento das potencialidades dos indivíduos que a frequentam, como são os alunos e os docentes.

Com efeito, vale assinalar que pesquisadores associados à educação, formados em cursos superiores e, seguidamente, atuantes no terceiro grau, vêm buscando caminhos que facultem aperfeiçoar seus métodos de ação, alcançando melhores desempenhos por parte de seus usuários. E, mesmo diante das dificuldades que se apresentam em um país como o Brasil, nação de território continental e culturalmente diversificado, em que se verificam profundas clivagens de ordem econômica e social, eles não esmorecem, formulando hipóteses de trabalho em sala de aula que promova, de um lado, gratificação profissional para os professores e, de outro, satisfação pessoal para os estudantes.

Com esse intuito foi conduzida a investigação assinada por Flávia Brocchetto Ramos e Neiva Senaide Petry Panozzo, de que resultou *Interação e mediação de leitura literária para a infância*. Nascido das pesquisas levadas a cabo pelas autoras na Universidade de Caxias do Sul, este livro lida em duas frentes, uma de ordem teórica, outra de caráter aplicado, visando, por meio da primeira, a propor vias sólidas e consistentes para a ação do professor que atua no ensino fundamental, tal sendo a matéria da segunda perspectiva da obra.

As palavras-chave do estudo aparecem em seu título – leitura literária, de uma parte; de outra, mediação. A primeira pressupõe a valorização de uma modalidade de leitura – a que decorre da apreensão do texto escrito que, a partir da fantasia de um ou mais autores, apresenta um mundo imaginário a ser transmitido a seu destinatário, outro ser humano, seja ele uma criança ou um adulto. A leitura literária apresenta-se, assim, como um domínio específico que a diferencia de outros tipos de apreensão de textos transmitidos pela escrita, como são os de ordem pragmática, afetiva ou intelectual, a que também, ao menos em princípio, se chega por intermédio da ação eficiente da escola. A segunda – mediação – aponta para a ação de um interlocutor, no caso, o docente, convocado para proceder à introdução de seus alunos ao conhecimento e à apreciação do universo ficcional proporcionado por textos de natureza artística. O foco desse trabalho é a infância, também indicada no título, quando aquela tem acesso à educação formal, em escolas do ensino básico.

Flávia Brocchetto Ramos e Neiva Senaide Petry Panozzo, no papel de pesquisadoras conscientes e rigorosas, estabelecem em sua obra um programa de ação substancial e exigente, que levam a cabo com energia e qualidade. Tratam, primeiramente, de discutir seus pressupostos diante da leitura literária: não perdendo de vista a importância do suporte por meio do qual o texto chega a seu leitor, esclarecem suas concepções de livro enquanto materialidade e de imagem enquanto elemento imprescindível ao diálogo de uma narrativa com seu leitor. Evitando conceber a ilustração como adorno da obra ou acréscimo à linguagem verbal, evidenciam o caráter significativo das imagens, a saber, o fato de que, transcendendo as figuras representadas, incluem ainda elementos como diagramação, cores e texturas.

Só depois de firmarem seus pressupostos teóricos diante do livro que circula na condição de literatura infantil é que as autoras analisam obras de escritores brasileiros, escolhendo dentre eles três nomes altamente representativos: Ana Maria Machado, Angela Lago e Roger Mello. Tal escolha não é aleatória, nem gratuita: ao eleger três dos melhores criadores nacionais, sendo dois deles – Angela Lago e Roger Mello – também ilustradores, Flávia Brocchetto Ramos e Neiva Senaide Petry Panozzo mostram que não vendem barato o ensino da literatura: a este cabe lidar com obras de excelência, oferecendo-se o melhor para a criança frequentadora da escola no nível fundamental.

A terceira parte da pesquisa corresponde à explicitação do roteiro de trabalho em sala de aula, com sua consequente aplicação e avaliação. A exposição detalhada desse roteiro resulta da generosidade das autoras, que desejam socializar o produto de seu esforço investigativo, pois outros docentes poderão utilizar o material oferecido, com resultados que provavelmente se personalizarão, em resposta às especificidades dos professores e, sobretudo, dos alunos que tiverem acesso às experiências propostas.

Por sua vez, a aplicação do roteiro por parte das autoras não vem desacompanhada de espírito crítico e consciência de que nem sempre as boas intenções conduzem aos melhores resultados. Pelo contrário, algumas consequências são altamente positivas, outras, porém, deixam a desejar, até porque os alunos, mesmo quando bastante jovens – e as autoras trabalham com estudantes da terceira série (quarto ano) do nível fundamental – já absorveram algumas práticas de leitura, dentro e fora da sala de aula, que determinam sua recepção, nem sempre a prevista ou a almejada pelas pesquisadoras.

Até por esse aspecto, *Interação e mediação de leitura literária para a infância* constitui importante contribuição às discussões que se formulam sobre o ensino e a prática da leitura na escola, pois, além de exporem de modo consistente pressupostos teóricos que explicitam a importância do livro e sua construção material, incluindo a ilustração, quando refletem sobre a literatura infantil; de examinarem de maneira cuidadosa a obra de dignos representantes de nossa produção para crianças; e de, por último, oferecerem minuciosos roteiros de trabalho em sala de aula, as autoras mostram maturidade e espírito crítico ao discutirem as respostas obtidas após o trabalho aplicado.

Leitura sobre a leitura literária em sala de aula, *Interação e mediação de leitura literária para a infância* mostra-se indispensável a todos aqueles que se alinham ao empenho e à preocupação de refletir sobre as relações entre escrita, literatura, livro e escola, tradição milenar de que inevitavelmente fazemos parte.

Profª Regina Zilberman

Desenhando o cenário...

> *Comecei a gostar dos livros mesmo antes de saber ler. [...]*
> *Eu me vejo assentado no chão, num dos quartos do sobradão do meu avô.*
> *Via figuras. Era um livro, folhas de tecido vermelho.*
> *Nas suas páginas alguém colara gravuras, recortadas de revistas.*
> *Não sei quem o fez. Só sei que quem o fez amava as crianças.*
> *Eu passava horas vendo as figuras e não me cansava de vê-las de novo.*
> Rubem Alves

A epígrafe aqui posta anuncia uma concepção de leitura. Rubem Alves, antes de ler palavras, já lia ilustrações. Outras pessoas também tiveram a experiência de ler a visualidade? Como foi que você, leitor, se descobriu lendo? Lembra-se dos primeiros contatos com as palavras, do processo de decifração e de significação?

Lygia Bojunga Nunes (1990) conta que, antes de ler, construía casas com os livros, empilhava-os e entrava dentro das edificações, lia as paredes. Alberto Manguel (1997), grande leitor e estudioso da leitura na contemporaneidade, revela que, na sua infância, quando andava de carro com seus familiares, percebeu que conseguia entender o que estava escrito num *outdoor*. Ele confidencia sua descoberta e lembra que aquelas formas, de repente, passaram a ter sentido, e que o processo de significá-las foi uma ação realizada apenas por ele, que tinha feito tudo aquilo sozinho, ou seja, o ler, naquele momento, era uma ação individual. Manguel identifica-se como um leitor voraz.

Saramago (2006) aprendeu a ler em periódicos, sozinho. Conta, em *As pequenas memórias,* que manuseava sempre os jornais e os adultos o ridicularizavam, até que um dia, para surpresa de todos, começa a ler um texto em voz alta. Saramago não fala sobre a importância da visualidade na sua aprendizagem de leitura, mas certamente as fotos e outras imagens veiculadas nos periódicos o ajudaram a entender aqueles sinaizinhos estranhos que são as letras.

O ler está, pois, associado ao entendimento da palavra, mas também ao da visualidade, que abrange diferentes imagens e mesmo a diagramação. As narrativas se constroem, por exemplo, por meio de aspectos como o tempo, o espaço e a configuração das personagens. No momento da leitura, o leitor interage com a totalidade do texto, participando ativamente da sua organização.

Independente do modo como aprendemos e começamos a ler, interagimos com textos constituídos por palavra e por ilustração, fato que implica o convívio do leitor contemporâneo com duas linguagens, verbal e visual, no processo de significação. As peculiaridades da literatura infantil, em especial, a interação entre o verbal e o visual, implicam modos específicos de ler. Durante o período de vigência da investigação (2002-2006), estudamos a leitura infantil enquanto fenômeno construído pelo leitor, a partir da interação entre ilustração e palavra. Foi analisado, inicialmente, o modo como o verbal e o visual se relacionam em narrativas contemporâneas e, depois, como as crianças, que frequentam a terceira série (quarto ano) do ensino fundamental, processam as linguagens presentes nessas obras e a decorrente construção de sentidos. Os dados coletados e analisados já encaminharam as pesquisadoras a desenvolver outros estudos visando à mediação da leitura em ambientes escolares, através do projeto "Formação do leitor: o processo de mediação docente", ação derivada da pesquisa que ora se apresenta.

A partir dos estudos realizados na investigação, este livro foi organizado. Lembramos que os princípios teóricos da estrutura narrativa e do gênero literário infantil são aqui contemplados e, a partir deles, pretendemos elucidar vínculos entre palavra e visualidade. De início, este estudo passa brevemente pelos primórdios do gênero, para contextualizar o problema da investigação, e, em seguida, deslocamos o foco para as relações entre visualidade e palavra na produção literária brasileira, mais especificamente em narrativas infantis contemporâneas de Angela Lago e Roger Mello. Eles foram escolhidos porque atuam ora como escritores, ora como ilustradores, ora nos dois campos. Além de possuírem um trabalho de reconhecida qualidade literária e plástica, destacam-se pela valorização da cultura brasileira e inserem em suas obras o diálogo com o passado, o presente e o futuro, como também aproximam o popular e o erudito.

No capítulo 2, detalhamos o processo de análise de duas obras para infância – *Ah, cambaxirra, se eu pudesse...* e *Indo não sei aonde buscar não sei o quê* –, bem como apresentamos roteiros de leitura organizados para cada um dos títulos e posteriormente aplicados a turmas de terceira série do ensino fundamental, que corresponde ao quarto ano na estrutura do ensino fundamental de nove anos. Além de descrever a aplicação, analisamos o roteiro e o processo de vivência do texto artístico pelas crianças, a partir da mediação pelo professor.

O livro foi escrito com o desejo da partilha, da conversa. É uma tentativa de divulgar parte de inquietações que vinham sendo gestadas desde o tempo em que atuávamos como docentes em classes de ensino fundamental, quando percebíamos o encanto dos estudantes tanto com a palavra como com a ilustração dos livros de literatura infantil. Aqui, você, nosso leitor, encontra um conceito de literatura infantil como um objeto híbrido que desafia o leitor contemporâneo. Para conhecer mais sobre nossos estudos, sugerimos que visite o *site* http://hermes.ucs.br/cchc/dele/fbramos, onde estão algumas de nossas investigações.

Seja bem-vindo a esta caminhada!

Caro leitor,

A partir de agora, convidamos você a nos acompanhar num passeio que nos conquistou: a leitura como uma experiência híbrida em que as linguagens se entrelaçam e cujas descobertas enriquecem a experiência de olhar mais de perto, a fim de encontrar singularidades no texto literário para a infância.

Vamos percorrer caminhos antigos e contemporâneos, verificar que palavras e imagens estão juntas há tempos, que a natureza do texto híbrido é complexa e que conhecê-la se assemelha a um jogo que ativa a curiosidade, produz a alegria das descobertas e fomenta o prazer próprio do jogo da leitura.

Venha experimentar esse caminho e participar desse entrelaçamento de visualidade e palavras.

I – Palavra e ilustração: amizade antiga

IMAGEM NOS LIVROS DO PASSADO

A imagem é muito mais pregnante do que qualquer palavra.
Rui de Oliveira

As linguagens verbal e visual estão presentes na literatura desde suas remotas origens. Destacamos o *Romance de Melusina*, manuscrito em pergaminho produzido entre 1400 e 1420, na Idade Média, e ilustrado por seis pinturas.[1] Esse conto popular remonta às raízes nobres da família francesa dos Lusignan. Do casamento entre Melusina e Raimondin nascem dez filhos, constroem-se cidades e castelos, até que o segredo da esposa é descoberto: trata-se de uma mulher-serpente (Figura 1). A partir daí, ela se transforma em um

---
1 As referências e ilustrações sobre esse pergaminho, as edições do *Decamerão* e do *Pentamerão* e da obra de Charles Perrault encontram-se no endereço eletrônico da Biblioteca Nacional da França: http://expositions.bnf.fr/contes/arret/ecrit/index.htm.

dragão que voa janela afora e volta à noite para nutrir seus filhos. Nessa narrativa, percebemos a concepção da época sobre o gênero feminino, um ser maligno, sedutor, mas detentor da capacidade de gerar herdeiros e de contribuir para a ampliação do patrimônio.

Figura 1 – Melusina se banha, enquanto seu esposo espia.

A tradição renascentista do conto maravilhoso e das novelas toma forma nos registros de Boccaccio, em *Decamerão,* cujas publicações na Itália se apresentam com capas ilustradas. Giovanni Francesco Straparola da Caravaggio escreve, por volta de 1550, *Le piacevoli notti* (Figura 2), composto por 73 narrativas fabulares, entre elas catorze contos de fadas. A capa ilustrada também marca a produção de Giambattista Basile, que escreve, em 1625, *Lo cunto de li cunti,* conhecido como *Pentamerão*. São cinquenta contos de fadas marcados por ingredientes do maravilhoso, princesas, fadas, magos, animais falantes e objetos mágicos, desejos infantis, submissão a provas e finais felizes.

Conforme arquivos *on-line* da Biblioteca Nacional da França, no século XVII, o conto de fadas, como modalidade de narrativa curta, transforma-se no gênero literário infantil, adaptado da tradição oral por Charles Perrault. Entre 1688 e 1700, ele escreve *Histoires ou contes du temps passé,* também chamado de *Contes de ma Mère L'Oye* [Contos da Mamãe Gansa] e mais conhecido no Brasil como *Contos da carochinha*. A obra de Perrault também tem capa ilustrada (Figura 3). Na imagem, a contadora de histórias retrata a tradição oral a cargo de uma velha senhora que, junto ao fogo, fia a lã e conta, ou seja, tece a narrativa que os jovens escutam.

Figura 2 – *Le piacevoli notti*, de Giovanni Francesco
Straparola da Caravaggio, 1550.

Figura 3 – *Contes de ma Mère L'Oye*, de Charles Perrault, 1697.

A ilustração presente no texto verbal, destinado ou não à criança, é uma tendência antiga. Antes mesmo da publicação da primeira obra direcionada especificamente à infância, por Charles Perrault, em 1697, o visual era um componente das histórias, até mesmo daquelas manuscritas.

No Brasil, a ilustração também acompanhava a palavra com a finalidade de simplesmente estar junto, não tinha um papel expressivo. Até 1920, a literatura infantil brasileira compunha-se, basicamente, de traduções de contos de fadas europeus, como os *Contos da carochinha*, e de adaptações de textos como os de Júlio Verne, e nessas obras a ilustração era a mesma do original.

A produção literária brasileira destinada à infância inicia, de fato, com Monteiro Lobato, que edita, em 1920, *A menina do narizinho arrebitado*, primeira obra com elementos da cultura local.[2] O livro apresenta uma visão emancipatória da infância e contém imagens coloridas que ilustram a história. No entanto, as edições da obra lobatiana alteraram a proposta visual do livro, pois contêm ilustrações em preto e branco e fragmentam a narrativa. Ou seja, *Reinações de Narizinho*, de Lobato, pode ser encontrado em edições que lembram fascículos, como uma história independente, em virtude da publicação de capítulos avulsos. Tal concepção de livro prevê um interlocutor com pouca fluência de leitura.

Na capa da primeira edição lobatiana, a menina tem contornos bem definidos, apresenta áreas coloridas e é vista de perfil. A personagem[3] olha para um ser imaginário, mantendo a expressão atenta,

---

2 Antes dessa publicação de Lobato, outras obras que foram editadas aqui apresentavam a criança como um pequeno adulto e ainda se valiam do conhecimento do adulto para referendar valores que deveriam ser assumidos pelo leitor mirim. Citamos *Flores do campo*, de José Fialho Dutra, livro de poemas publicado em 1883; *Poesias infantis*, de Olavo Bilac, editado em 1904; e ainda *Saudade*, narrativa de Tales de Andrade publicada em 1919. Em relação à obra de Bilac, destacamos o emprego de recursos poéticos, mas a temática retoma as datas comemorativas presentes no calendário escolar e segue o tom educativo eleito pelos adultos. Quanto à narrativa de Tales, lembramos que assume um discurso laudatório da vida rural e o protagonista é o menino Mário, um pequeno adulto. Esses textos, na verdade, se ocupam, principalmente, da educação das crianças, carecendo de elementos simbólicos que caracterizam a literatura e mobilizam o leitor. No campo da visualidade, *Poesias infantis* e *Saudade* têm algumas ilustrações em preto e branco na abertura dos capítulos ou antecedendo os poemas.

3 Utilizaremos, neste livro, indistintamente a palavra *personagem* no feminino, pois entendemos a sua estreita relação com o significado do termo *persona*, como a máscara característica das encenações do teatro grego, a qual define os papéis nas narrativas. De acordo com o *Dicionário Aurélio da Língua Portuguesa*, o vocábulo pode ser utilizado nos dois gêneros.

que pode manifestar curiosidade e encantamento diante do universo ficcional. Usando saia amarela, casaquinho vermelho e laço de fita listrada no cabelo loiro, caracteriza um ideário de infância presente no início do século XIX. Nesse ideário, a criança ainda é vista como um pequeno adulto, reproduzindo comportamentos dos mais velhos.

Na década de 1970, com o *boom* da literatura infantil brasileira, os processos composicionais dos livros foram readequados ao mundo visual que se impunha. Atualmente, não se pode mais pensar a literatura infantil apenas pelo viés da palavra. Há que se considerar o processo de construção de sentido a partir do convívio de diferentes linguagens que compõem o texto. Desse modo, podemos afirmar que uma tendência atual do gênero é o investimento na visualidade, explorando a interação entre linguagens, o que implica a necessidade de aprofundamento nos estudos sobre os processos de recepção de textos híbridos.

Vários ilustradores brasileiros têm se destacado no cenário nacional e mesmo mundial, entre eles estão Rui de Oliveira, Roger Mello, Angela Lago, Ricardo Azevedo, Luís Camargo e Helena Alexandrino. Esses e outros artistas desenvolvem, por meio de técnicas variadas, estilos peculiares que conferem qualidade artística à visualidade na literatura infantil contemporânea.

Embora um ilustrador tenha seu próprio estilo, os processos de produção das imagens são marcados por liberdade de criação e, muitas vezes, os resultados surpreendem e inovam de tal modo que, de uma obra para outra, surge grande variedade nos modos de representação.

O Brasil é um país continental, nele encontramos diversos climas, vegetação, relevo. Em meio a tal diversidade, certamente também mudam as concepções, por exemplo, do que seja uma moradia e os materiais com os quais se fabricam as habitações: há casas de madeira, de adobe, cobertas com capim, dependendo da matéria-prima encontrada na região. No entanto, quando vimos casas ilustradas nos livros, elas tendem a ser muito semelhantes. A ilustração de uma obra infantil deve ser coerente com o ambiente anunciado pela palavra. Isso não quer dizer que deva repetir os dados veiculados pelo texto verbal. Nesse aspecto, destacamos várias habitações apresentadas por Ricardo Azevedo, no livro *Armazém do folclore*. Como a obra traz a diversidade da cultura brasileira por meio de contos, quadras, frases feitas, entre outros, a visualidade também brinda o leitor com as peculiaridades das regiões citadas, mostrando tipos de casas que podem ser encontrados no país (Figura 4).

Figura 4 – Moradias que evidenciam peculiaridades das regiões do Brasil e suas culturas (*Armazém do folclore*, de Ricardo Azevedo, 2002).

Se o capim é o material disponível em determinado lugar, o morador encontra uma forma para aproveitá-lo na sua habitação e acaba utilizando-o para cobri-la. Que árvores circundam essas casas? Em lugares mais quentes, a varanda e a rede se justificam, ou melhor, tornam-se imprescindíveis à vida, assim como o fogão a lenha, sinalizado pelo cano da chaminé, está presente onde é mais frio. Tais aspectos evidenciam que a ilustração tem assumido as cores da cultura local e contribuem para revelar um Brasil que talvez seja ignorado pelos brasileiros.

Outro dado da identidade nacional refere-se ao modo como circula a literatura de cordel no Nordeste do país. Faz parte desse material a xilogravura, que acompanha os cordéis vendidos nas feiras. Sensível a tal manifestação, Ricardo Azevedo emprega essa técnica em suas obras, simplificando formas e planos, omitindo, nesse caso, a ideia de profundidade.

Figura 5 – Princesa brasileira (*Armazém do folclore*, p. 8 e 13).

A heroína, que vemos nas duas imagens da Figura 5, é a princesa de contos populares presentes no nosso imaginário. Essas imagens são modelares nos contos populares que circulam no Brasil. A primeira figura apresenta uma princesa destemida que, apesar de apreciar joias e o conforto do palácio, gosta de cavalgar e enfrentar perigos. Na segunda, a mesma princesa já enfrentou vários desafios e passa a ser mostrada de frente. Seu rosto, que foge dos padrões de beleza impostos pela sociedade contemporânea, aparece em primeiro plano. Na primeira imagem, o ilustrador prioriza o cenário, moldura da protagonista; na segunda, como o leitor já conhece a valentia da personagem, ela aparece de frente, expondo sua coragem. Vale observar, nessa segunda imagem, que há duas borboletas, referindo-se à transformação da heroína. A jovem tem cabelos negros, rosto assimétrico, traços distintos daqueles das princesas europeias – loiras, magras, altas, com cabelos loiros e cacheados. Ricardo Azevedo, além de ambientar a história no cenário nacional, elege características da mulher brasileira para compor a ilustração do livro.

Outro modo de ilustrar está presente no traço de Rui de Oliveira, um dos expoentes da ilustração no Brasil. O artista é reconhecido no país e no exterior pela riqueza de seu trabalho. Já atuou como diretor de arte e de animação e é professor do curso de Desenho Industrial na Escola de Belas Artes da Universidade Federal do Rio de Janeiro (UFRJ). Interessa-nos aqui o Rui ilustrador de livros infantis, em virtude da qualidade de suas imagens. Nesse campo, ele escreveu e ilustrou *Amor índio* (1999) e ilustrou obras como *Chapeuzinho Vermelho e outros contos por imagem* (2002), de Luciana Sandroni (adaptação); *A cotovia e outras fábulas de Leonardo da Vinci* (1999), de Angela L. de Souza; *Melusina: a dama dos mil prodígios* (2000), adaptada por Ana Maria Machado; *A tempestade* (2000), de Shakespeare, adaptada para a forma narrativa e ilustrada por Rui de Oliveira.

Muitos aspectos chamam a atenção nas ilustrações desse artista, em especial o tratamento harmonioso e os detalhes da figura humana, que primam pela qualidade plástica de sua construção, sem usar estereótipos. Os humanos mostram traços associados à sua etnia, como em *Amor índio*, lenda de origem asteca, em que Conyra e Cuillac vivem uma paixão proibida. As personagens revelam pele acobreada, têm olhos puxados e vestem trajes coloridos, como aqueles usados pelos indígenas da América de língua espanhola. Nessa obra, os olhos têm um papel essencial: "falam" os olhares, como no encontro de Cuillac e seu filho com Conyra (Figura 6). A força expressiva da visualidade sensibiliza o leitor diante da reunião de mãe, filho e pai, evocando a dor do afastamento e da perda e a felicidade do reencontro, marcado pela forte emoção.

Figura 6 – O encontro de Conyra, Cuillac e o filho
(*Amor índio*, de Rui de Oliveira, 1999, p. 25).

A exploração da figura humana e do cenário intensifica-se em outras obras do ilustrador. Para discorrer brevemente sobre esse tópico, elegemos algumas imagens do conto "João e Maria", adaptado por Luciana Sandroni, em *Chapeuzinho Vermelho e outros contos por imagem*.

Que papel poderia ter a ilustração para contar uma história dramática como "João e Maria"? Pense nas imagens que você já viu relativas a essa narrativa. Como era a casa da família? Como eram apresentados os pais e as crianças? Em que medida as imagens dos livros que você olhou ajudaram a reconstruir aspectos relacionados ao contexto da história? Como a ilustração poderia contribuir para evidenciar a tensão que permeia o enredo?

Ambientar um conflito como o de João e Maria em uma casa contemporânea pode ser um recurso empregado para a atualização do enredo. No entanto, como seria o cenário dessa história que aconteceu há tanto tempo? Se a ilustração atua nos silêncios deixados pela palavra, ela não vai simplesmente ecoar a palavra, mas trazer dados em consonância com a proposta verbal, ampliando-a. Na imagem de Rui de Oliveira (Figura 7), temos o cenário de abertura da história: pai e mãe conversando e bebendo algo (talvez vinho) no mesmo ambiente em que os filhos dormem, o que revela um estilo de moradia composto, possivelmente, por um único cômodo. Sobre a cama, caminha um gato, retratando um hábito dos camponeses da época, que dormiam com animais para se aquecerem nas noites frias de inverno. A simplicidade e mesmo a pobreza, como se constatam pelas paredes desprovidas de qualquer acessório, configuram o cenário do casal. Os elementos distintivos que marcam o masculino e o feminino situam-se nos adereços de cabeça – a mãe usa um lenço, e o pai, um chapéu. O pai tem rugas na testa que denotam preocupação, ou mesmo envelhecimento. Os adultos parecem sussurrar enquanto os filhos, que ainda não adormeceram, escutam os planos dos pais.

Figura 7 – Ilustração de Rui de Oliveira para o conto "João e Maria"
(*Chapeuzinho Vermelho e outros contos por imagem*, de Luciana Sandroni, 2002).

O texto verbal não informa sobre o período do ano em que o conflito se inicia, mas as pesadas vestimentas sugerem o frio do inverno. A ilustração acrescenta aspectos do imaginário do ilustrador. Que olhares teriam essas personagens? Quais sentimentos carregam? Na era do colorido, a ilustração dessa obra deveria ter cor? Ou, que efeitos produzem o preto e branco na recriação do conflito? (Figuras 8 a 13)

Figura 8 – Barba Azul
(*Chapeuzinho Vermelho e outros contos por imagem*).

Figura 9 – Gato do Barba Azul
(*Chapeuzinho Vermelho e outros contos por imagem*).

Figuras 10 e 11 – Pais de João e Maria no início da narrativa
(*Chapeuzinho Vermelho e outros contos por imagem*).

Figuras 12 e 13 – Pais de João e Maria após a primeira tentativa de abandonar os filhos (*Chapeuzinho Vermelho e outros contos por imagem*).

Os traços fisionômicos "falam" nas ilustrações de Rui de Oliveira. A agressividade (Figura 8) é expressa pelas linhas e, em especial, pelos olhos de Barba Azul, que são representados de modo diferenciado. O gato do Barba Azul (Figura 9) também tem um olhar agudo. O pai e a mãe de João e Maria (Figuras 10 a 13) mostram sentimentos específicos: enquanto o pai parece buscar uma solução para o conflito (Figura 10), a expressão da mãe sinaliza que talvez tenha encontrado uma alternativa (Figura 11). O estado de ânimo dos pais altera-se após terem abandonado as crianças, pois ambos demonstram preocupação. Parece que eles estão envelhecidos, carregando o peso da culpa de abandonar os filhos (Figuras 12 e 13). As faces são marcadas por linhas que dirigem a expressão para baixo; criam-se rugas, dobras que indicam tristeza, desgosto ou frustração. As linhas dos olhos e dos lábios descem, inclusive aquelas correspondentes aos músculos da mandíbula e da contração do queixo. A maneira apurada de tratar os rostos, além de conferir qualidade artística às ilustrações, indica que o ilustrador domina o conhecimento da anatomia facial, responsável pela manifestação dos sentimentos humanos. Tais imagens contribuem para a formação de um repertório visual de qualidade para a criança leitora.

PECULIARIDADES DA ILUSTRAÇÃO

A ilustração não se origina diretamente do texto, mas de sua aura.
Rui de Oliveira

Na infância, as narrativas chegam às crianças por vários caminhos e um deles é a voz de um adulto, que pode ser um contador de histórias. Cecília Meireles (1979, p. 66) afirma que a literatura tradicional, entendida aqui como a popular, é a primeira a instalar-se na memória da criança. Essa oralidade representa para a criança um primeiro livro, antes mesmo da alfabetização, e, para grupos sociais iletrados, pode até ser o único texto conhecido. O contador realiza uma mediação, que propicia à criança a interação com as problemáticas existenciais vividas pelas personagens.

O narrador de carne e osso vai desaparecendo na sociedade contemporânea, ou pelo menos seu papel vai sendo reduzido. Quem teve um contador de histórias na sua infância? Os mais velhos, provavelmente, tenham conhecido essa personagem em um familiar, um amigo, um vizinho. Para aqueles mais jovens, é possível que essa figura tenha sido substituída pelas narrativas sonorizadas, gravadas em fitas ou discos ou, mais recentemente, pelas mídias eletrônicas, com seus sons e imagens, como a televisão, o DVD, o CD-ROM e a internet. Independente da forma como a criança teve ou tem acesso à narrativa, o livro, enquanto objeto com uma aura de significados que lhe é particular, é um bem cultural com o qual a criança tem o direito de interagir, pois ele carrega em seu bojo possibilidades de apropriação de sistemas diversos, em especial, o verbal e o visual.

Outrora, o livro infantil era formado por muitas páginas escritas e algumas ilustrações, como a primeira edição para a infância de que temos notícia na cultura ocidental – o *Contos da carochinha*, de 1697, série de histórias populares seguidas de moralidades, compiladas e adaptadas por Charles Perrault. No Brasil, *Contos da carochinha*, de Figueiredo Pimentel, publicado em 1896, apresenta histórias acompanhadas apenas por discreta ilustração em preto e branco. As edições de Lobato destinadas à infância, e que circularam na primeira metade do século XX, continham várias histórias e poucas ilustrações, basta ver a primeira edição de *A menina do narizinho arrebitado*. Esse modo de produzir os livros pressupõe a presença de um adulto leitor que oralize as narrativas.

O fim do século XX e o início do XXI são marcados pelo desenvolvimento da qualidade gráfica dos livros para crianças, ainda que eles existam desde o século XV. A presença de imagens acompanhando os textos escritos, a princípio, tinha a finalidade de enfeitar, ilustrar, informar para educar ou criar e propiciar prazer estético.

Hoje, no entanto, ela pode ser mais do que um adorno da palavra. Talvez a ilustração desempenhe, em parte, o papel do contador.

Assim, esse caráter de apoio destinado à ilustração vai se alterando. A criação de imagens para a literatura infantil ganha também estatuto de arte, pelo aprimoramento de suas qualidades artísticas e como amostra atual de cultura. Além disso, solidifica sua posição como parte integrante das diferentes manifestações da linguagem visual, com características próprias, e instala-se no texto para produzir sentido. Desse modo, a ilustração

> convive e faz parte do contexto da história da arte. Ela é um objeto de reprodução e está inserida em uma indústria cultural. Inter-relaciona-se com outras linguagens, transita em um espaço multifacetado. Dialoga com o verbal, mas pode utilizar recursos advindos do cinema, da pintura, dos quadrinhos. Pertence a um período em que diferentes manifestações artísticas interagem, se interpenetram. Não há, ou não deveria ter, mais a divisão preconceituosa em arte maior e menor, nem a divisão rígida de categorias artísticas. Picasso, Matisse ou Miró pintam, produzem cartazes, criam cenários. (MOKARZEL, 1998)

A criação do livro de literatura infantil envolve um produtor do texto verbal (escritor) e outro das imagens (ilustrador). Este também é um autor, que, na sequência de imagens, cria e recria a história. É possível uma analogia de seu trabalho com o do tradutor, que transporta as ideias de uma linguagem para outra, ou do cineasta, que adapta uma obra literária. Os elementos figurativos são organizados e articulados em sua própria linguagem, traduzindo significados para a visualidade e, ao mesmo tempo, constituindo um espaço de invenção. Em muitos casos, escritor e ilustrador são papéis exercidos pelo mesmo sujeito.

Independente do processo de produção do livro, na obra literária para a criança o pensamento é concretizado em linguagem, de modo que palavras ou imagens são os sistemas diferenciados escolhidos para traduzi-lo. Assim, o ser humano representa, esquematiza o real, ao mesmo tempo que materializa o pensamento em formas significantes e significativas, cria e atribui sentido, tecendo conexões entre linguagens. Disso resulta a manifestação de hibridismos ou de sincretismos,[4] característica marcante na literatura infantil contemporânea.

Elementos heterogêneos organizam o texto, cuja natureza expressiva é verbo-gráfico-plástica (desde a organização do projeto gráfico, o material das capas e páginas, as cores, as formas, os espaços, as palavras, entre outros), e articulam os significados manifestos na obra de literatura infantil. O material percebido não se separa em enunciações de diferentes naturezas, mas se presentifica acionado pelas várias linguagens. Apesar de o texto literário estar aparentemente ancorado na escrita, os efeitos de sentido são constituídos e construídos pelas estratégias de junção entre as diferentes unidades de linguagem – palavras e imagens engendram o sentido. Assim, o livro de literatura infantil caracteriza-se, na perspectiva da significação, como um texto híbrido.

Hoje, predominantemente, os livros têm espessura menor, são ilustrados e se valem de diversos artifícios de sedução do leitor mirim. Mesmo com o emprego de tais apelos, a literatura continua precisando da figura do adulto. A mediação desempenhada pelo contador parece estar sendo substituída por aspectos visuais, como o planejamento gráfico e, mais especificamente, a imagem. O texto passa, pois, pela instância da mediação do olhar.

A ilustração aparece, portanto, como um modo de acesso mais imediato, auxiliando o leitor mirim a interagir com a palavra. O verbal e o visual compartilham o mesmo suporte. Na ilustração, predomina o figurativo, referindo modelos da natureza ou figuras fantásticas oriundas do imaginário. Essa natureza figurativa é de reconhecimento rápido e permite estabelecer conexões com o mundo e elaborar redes interpretativas, pela familiaridade referencial oferecida a leito-

---

4 Sincretismo de linguagem é uma expressão utilizada pela semiótica para designar a característica de um enunciado discursivo que se manifesta por meio da multiplicidade de sistemas, sendo tratado pelas chamadas *semióticas sincréticas* (GREIMAS; COURTÉS, 1991, p. 233). Desse modo, uma narrativa verbo-visual (pela presença de palavra e de ilustração) é um texto sincrético, também chamado híbrido.

res de pouca idade. Quando uma imagem, pelo seu tratamento artístico, não oferece âncoras para a sua compreensão, é comum ocorrer a sua rejeição por parte do leitor iniciante.

Para entender um pouco mais o que se passa no processo de compreensão de diferentes imagens, tomemos como exemplo algumas afirmações de leitores mirins sobre a qualidade da ilustração. Algumas são consideradas bonitas, porque benfeitas; outras são feias, porque desorganizadas. Aceitar, rejeitar ou ignorar um texto visual é resultado da familiaridade ou não com referenciais imagéticos, fatores que ampliam ou restringem as possibilidades de compreensão das imagens.

No exercício de leitura, em algum momento, o leitor atualiza os elementos textuais como um jogo de associações, enquanto relaciona aquilo que ele vê/lê às suas experiências e memórias pre-existentes, para interagir e estabelecer as conexões de sentido. Na medida em que há apropriação de um acervo prévio, posteriormente ele é acionado e ampliam-se as relações. O gostar ou não gostar de uma imagem passa por um crivo que mantém íntima relação com a cognição e o conceito de desenvolvimento estético,[5] entendido como uma construção subjetiva, social e histórica, e, portanto, aprendida.

Os modos de ver são aquisições progressivas, construídas e passíveis de aperfeiçoamento. A relevância dos estudos sobre o entendimento da arte e das imagens consiste na possibilidade de complexar nosso modo de ver. Essa compreensão se dá na medida de um "olhar bem alimentado". Utilizando a metáfora da nutrição biológica, é preciso proporcionar um cardápio diversificado, respeitar desejos, sem "empanturrar" nem "deixar morrer à míngua". Num ambiente

---

5 A percepção e a compreensão das imagens de arte são analisadas pelo pesquisador Michael J. Parsons, na obra *Compreender a arte*. Ele sustenta que a aquisição da capacidade de compreensão estética ou sequência de modos de ver acontece do ponto de vista do desenvolvimento cognitivo, em *estádios*. A concepção do autor sobre *estádio* é a de que "são aglomerados de ideias, uma configuração, ou estrutura, de pressupostos relacionados entre si que tendem a associar-se no espírito das pessoas precisamente por estarem interna ou logicamente ligados" (PARSONS, 1992, p. 27).

cultural inundado e mesmo poluído de imagens, cabe aos professores fazer uma seleção criteriosa. É preciso considerar os interesses dos leitores e a variedade de oferta, pois o objetivo é a expansão do conhecimento artístico, para se mostrar que existe diversidade e que muitos são os modos de representação do mundo concreto, de ideias e de sentimentos. Assim, aprendemos a respeitar modos divergentes de pensar, além de aceitar o que é diferente. Ultrapassamos o "gosto" ou "não gosto" para aprender a dialogar com o objeto da nossa atenção, abrir o espaço para um saber admirar. Ao tratarmos da obra literária, abordando palavra, ilustração ou ambas articuladas, entramos no território da arte, que é o da criação, da liberdade, de múltiplas possibilidades de exploração e de descobertas, uma área de conhecimento específico. Portanto, também é o âmbito ampliado da experiência de leitura estética.

A partir dos relatos de leitores iniciantes[6] sobre suas impressões e avaliação de imagens, destacamos que há uma relação entre as operações concretas e a leitura realizada. Algumas crianças se fixam na percepção inicial, isto é, constatam e enumeram os objetos isolados na imagem, como "tem um passarinho, um homem, uma árvore". Outras já veem o todo da imagem e criam uma narrativa paralela, a partir dos elementos percebidos. Ao ver na capa de um livro uma criança com uma trouxa, diz, por exemplo: "o menino fugiu de casa porque não queria tomar banho". O pensamento concreto[7] caracteriza uma leitura realística que se referencia em experiências pessoais.

As cores e temas identificados também servem, inicialmente, de âncoras para julgar a qualidade das imagens. "Gostei do livro porque tem muitas cores..."; "essas figuras são malfeitas... estão sujas"; "não gostei porque tem um diabo, e o diabo é mau" são falas de leitores que

---

6 Tais dados foram coletados na pesquisa "Interação texto-leitor na literatura infantil" e serão desenvolvidos com mais vagar em tópicos subsequentes deste livro.
7 No momento de elaboração cognitiva, a criança apoia seu pensamento em exemplos ou materiais observáveis, que existem concretamente.

exemplificam avaliações da mesma obra[8] e mostram que as figuras, o seu estilo de produção e o tema são tratados pelo mesmo padrão de julgamento, sem relacionar com o texto escrito, o qual não confirma a tal malvadeza culturalmente atribuída ao diabo. Mesmo leitores na fase de pensamento formal[9] podem apresentar considerações sobre as imagens semelhantes àquelas de leitores na fase do pensamento operatório concreto, conforme pesquisa de Rossi (2003), que, nos seus estudos, mostra como ocorre a leitura estética na escola.[10]

Transpondo a leitura estética da imagem de arte para a ilustração presente na literatura infantil, esses conhecimentos são úteis para que professores – mediadores de leitura – sejam instrumentalizados para promover o diálogo e o questionamento, fatores que expandem as possibilidades de leitura e propiciam maior compreensão do universo visual por parte de seus alunos.

OLHANDO MAIS DE PERTO

A arte de ilustrar está assentada no equilíbrio e na harmonia entre a imaginação verbal e a imaginação visual.
Rui de Oliveira

O que é, afinal, ilustração? Há quem a defina como a imagem que acompanha um texto. Esse conceito revela dois problemas. O

---

8 Trata-se do livro *Indo não sei aonde buscar não sei o quê*, de Angela Lago.
9 A operação de pensamento sustenta-se na elaboração de hipóteses, deduções e desencadeamento da abstração.
10 Para maior informações, sugerimos consultar a obra *Imagens que falam*, da mesma pesquisadora.

primeiro é posto quando a ilustração não é considerada um texto, ou seja, não significa por si; e o segundo, aparece se ela é vista apenas como complemento da palavra, sem uma força específica.

Entendemos *texto* como uma unidade mínima de sentido – um assobio pode significar, assim como um piscar de olhos ou mesmo um cumprimento. E discordamos de que a ilustração seja apenas complemento. Ela é constituinte de uma linguagem própria, cuja função é produzir sentido tanto pela interação que provoca com o leitor por si mesma, como também por sua articulação com a palavra. Dá brilho, sim, e constitui significados, seja isolada, seja aliada à palavra. Ela pertence ao sistema visual, é linguagem e, como tal, implica comunicação. Um texto, ao se constituir por elementos de sistemas diversos, cria condições para um diálogo interno e também externo, de intercâmbio com outras linguagens e de intertextualidade. Formas, gestos, sinais, símbolos, palavras reúnem-se e misturam-se para gerar ideias, conceitos, significados.

No âmbito dos produtos culturais, a visualidade não é privilégio do texto destinado à criança. Ela aparece em diferentes mídias, como na publicidade, contribuindo para persuadir o consumidor e visando a dar um caráter de verdade, que auxiliaria na recepção da peça ou mesmo na constituição da vaguidade semântica.[11] Acreditamos, porém, que a ilustração não deva somente dar destaque à palavra, pois estaria na condição de texto de apoio. Ela, juntamente com a linguagem verbal, integra o texto, ou seja, o fenômeno apreendido pelo leitor constitui-se pelo enlace verbo-visual.

No caso da obra destinada à infância ou à adolescência, consideramos ilustração não apenas os desenhos que acompanham a palavra, mas todo e qualquer recurso de produção de imagem: vinheta (pequena imagem de até um quarto do tamanho da página), capitular

---

11 Entendemos *vaguidade* como o traço linguístico que sugere a incerteza no enunciado. A palavra pode insinuar uma significação e, ao agregar-se à imagem, construir outro sentido. Às vezes, a imagem aponta para um sentido, e a palavra, para outro, gerando ambiguidade.

(letra que inicia um capítulo, geralmente em tamanho maior do que as outras e em fonte diferente), figuras ou manchas. Faz parte ainda do processo de leitura o modo como se constitui o espaço visual – incluindo o projeto gráfico, o qual consiste no planejamento visual – seja este uma página, um livro, um cartaz, um folheto, uma revista ou uma tela. Além disso, as escolhas do material de suporte, como o tipo de papel, a fonte (tipo de letras) e as cores utilizadas, também significam. Enfim, tudo que se apresenta aos sentidos e é lido pelo leitor deve ser considerado na seleção de uma obra.

Cada modo de ilustrar – a técnica, o material e o suporte, aliados a um texto verbal – constrói determinado sentido, como nos revela Camargo (1998), em seu estudo de diferentes edições do livro *Ou isto ou aquilo*, de Cecília Meireles. Camargo enfatiza que cada edição organiza significações peculiares, por causa das mudanças na ilustração. Do mesmo modo, para demonstrar diferentes efeitos da imagem, utilizamos "Colar de Carolina" – poema que aponta a fusão da personagem com a natureza, ao mostrar a primeira assumindo o calor e as cores da paisagem, revelando uma simbiose (RAMOS, 2002) –, limitando-nos apenas às edições de 1990, ilustrada por Beatriz Berman, e de 2002, por Thais Linhares, para observarmos como divergem as formas de apresentar/mediar os textos.[12]

Ao abrir o livro ilustrado por Berman, o primeiro poema que o leitor encontra é "Colar de Carolina". O olho percebe a ilustração e depois o poema, cercado por imagens. A figura que representa Carolina está centralizada na metade superior da página, e logo abaixo, está o título. Em relação ao modo de caracterizar a menina e as cores selecionadas, evidenciamos um descompasso entre as linguagens, pois a ilustração não consegue recriar a leveza e a brincadeira sugerida pela palavra, em razão dos traços rústicos e da tonalidade escura, vermelho-terrosa.

Na edição ilustrada por Linhares, o formato e o tamanho do livro são maiores do que os da edição anterior. O poema está dis-

---

12 Não são inseridas as imagens, porque não obtivemos autorização para veiculá-las.

posto numa página em que há mais leveza, tanto pelas cores como pela diagramação. Carolina, com traços delicados, mostra-se como uma jovem em harmonia com o meio; o tom laranja e a imagem da menina acolhem o olhar do leitor, inclusive porque essa imagem está no canto inferior direito, segmento final do percurso feito pelo olho na página, ao passo que o poema – que é o foco dessa edição – está no quadrante superior esquerdo. Assim, ao ingressar na página, o olhar encontra o poema e ao sair dela, a figura da menina. Ao virar a página, o leitor literalmente toca a personagem, numa maior aproximação, para levá-la consigo.

Na ilustração de Berman, a dinâmica entre imagem e palavra fica prejudicada, o que não ocorre na edição mais recente. Assim, a interação da criança com cada uma dessas obras é bem distinta.

O conjunto que reúne o visual e o verbal pode ser abordado por diferentes posições teóricas. Luís Camargo (1995) estuda as funções da ilustração na estrutura do texto a partir das funções de linguagem propostas por Jakobson – que utilizamos neste momento para, além de categorizar, refletir sobre a interação entre sistemas e a consequente leitura do texto como uma unidade. De acordo com Camargo (1995, p. 33), seja no livro ilustrado, em que a visualidade dialoga com a palavra, seja no livro de imagem, em que a ilustração é a única linguagem, várias são as funções que a imagem assume ao descrever, narrar, simbolizar, brincar, persuadir, normatizar e pontuar pela linguagem plástica.

Além desses papéis desempenhados pela ilustração, há outros. Nessa investigação, mais do que classificar as suas funções, buscamos discutir o processo de significação ocorrido pela interação das linguagens em algumas obras da produção literária contemporânea. Acreditamos que a ilustração seja decisiva na criação do sentido para um texto, pois, como apontamos brevemente, um mesmo poema, ao receber imagens distintas, promove significações diversas – em cada uma das edições, o sentido construído é singular também porque a visualidade se modifica.

PASSEANDO POR ALGUNS LIVROS[13]

> *Toda ilustração, além de suas inter-relações com o texto, possui qualidades configuracionais e estruturais perfeitamente explicáveis e analisáveis.*
> Rui de Oliveira

Ao se pensar um livro para a criança que começa a manipular esse objeto artístico, é importante observar o tipo de suporte utilizado. Para refletir sobre essa questão, tomamos como referência *Feliz Natal, Ninoca!*, de Lucy Cousins (2000). Sua encadernação resiste aos impulsos exploratórios de um leitor iniciante. O tipo de papel e o revestimento plastificado da capa dão mais durabilidade ao exemplar e, principalmente, mais firmeza à criança que precisa segurá-lo para interagir. O papel utilizado nas páginas e a ausência da folha de rosto preveem a ansiedade do leitor interessado na história e que ainda ignora elementos contextuais como ficha catalográfica. Ao abrir o livro, o contato com a história é imediato, sem preâmbulos iniciais.

O modo como os desenhos foram feitos também prevê a identificação do leitor infantil, porque os traços são simplificados, ou seja, a ilustração não se fixa no detalhe, mas no conjunto da cena e, curiosamente, antecipa informações que só serão confirmadas no decorrer da narrativa. Assim, por exemplo, nas duas primeiras páginas, vemos Ninoca – uma ratinha – com três cartões de Natal e, se o leitor ergue a porta (a qual pode ser manuseada), encontra o carteiro. O leitor (alfabetizado ou não) pode abrir os cartões já recebidos e ficar sabendo que, em cada um deles, está desenhado um animal: galinha, urso e jacaré. Não sabemos se o carteiro já entregou todos os cartões ou

---

13 Não são inseridas ilustrações neste tópico porque não obtivemos autorização para veiculá-las.

se falta algum. Mais adiante, observamos que Ninoca compra quatro presentes, então ressurge a hipótese de que o carteiro estaria trazendo outro cartão na cena em que ele está na porta da ratinha. No entanto, apenas na última página da obra sabemos quem é o amigo que falta, ou seja, de quem era o cartão entregue pelo carteiro na primeira página, e, também, qual presente corresponde a cada um dos convidados da anfitriã para festejar o Natal.

Outro dado de interação entre as linguagens, como também de orientação para a criança, refere-se ao momento em que Ninoca vai colocar a estrela na árvore. É a ilustração que explicita o procedimento da ratinha, que usa uma cadeira para alcançar o topo da árvore – solução também utilizada pelos pequenos e mais um aspecto que possibilitaria a identificação do leitor mirim com a protagonista.

A ilustração, nesse caso, além de ajudar a criança na construção do sentido, ainda é um elemento lúdico de interação física, pois o leitor pode mexer nas páginas, alterando sua configuração, por exemplo, ao puxar o tronco da árvore, iluminando-a. O leitor assume um papel ativo na constituição dos sentidos do texto, que dependem da sua atuação sobre o livro. Os significados se formam pela observação, pela ação da criança sobre o objeto e pela oralização do texto verbal por um adulto. Portanto, constatamos que esse livro possui elementos de modalização do sujeito, incitando-o a um *fazer transformador* tanto do texto como do leitor. Nesse caso, a criança se coloca no texto e a ele atribui significado por vários percursos: pela visualidade, pela mediação dos elementos materiais do livro, instigadores da atuação, ou pelo adulto, que traduz os sinais gráficos via leitura.

Para a criança já familiarizada com o objeto livro, a proposta de sentido da ilustração não implica apenas a interferência nas imagens, mas também sua compreensão. Para demonstrar essa situação, enfocamos *A casa sonolenta*, de Audrey Wood, ilustrado por Don Wood (2003), *Tanto, tanto!*, de Trish Cooke, ilustrado por Helen Oxenbury (2000) e *Se a lua pudesse falar*, de Kate Banks, ilustrado por Georg Hallensleben (2000).[14]

---

14 A primeira edição das obras é de 1984, 1994 e 1997, respectivamente.

Em *A casa sonolenta*, a ilustração vai se alterando significativamente em relação ao cenário inicial. Primeiro, apresenta um espaço amplo, o ambiente externo da casa, depois a sua fachada, para, a seguir, mostrar o quarto e a cama; ou seja, parte da moldura da cena até chegar ao espaço do conflito. Em seguida, volta a ampliar o espaço, mostrando toda a casa novamente, mas agora com o brilho da luz e sem o véu da neblina.

A contribuição da ilustração vai além da representação dos seres, ocorrendo pelas variações cromáticas e pela figuração, que anuncia a personagem a se agregar aos dorminhocos na cama. À medida que o tempo passa e as pessoas vão acordando, o cenário clareia gradativamente, como percebemos no processo cambiante das páginas, ou seja, no tom cinzento da chuva cedendo espaço para um amarelado que mostra o dia de sol. Outro aspecto da ilustração refere-se ao fato de que, no momento em que o texto verbal anuncia que determinada personagem vai se deitar, a imagem antecipa qual será a próxima a desempenhar a mesma ação, ao mostrá-la em movimento. O leitor pode acompanhar as mudanças na dimensão das personagens: o tamanho das que entram em cena – menino, cachorro, gato, rato, pulga – vão diminuindo no processo de adormecer. Já no acordar, ocorre o contrário, pois a ilustração antecipa a entrada em cena da próxima personagem, que aparece em outro ponto do cenário, semelhante ao da ação anterior. A pulga acorda o rato e assim segue até que todos estejam novamente despertos, e a claridade, gradativamente, toma o cenário.

Tanto, tanto! é uma obra que inova por dois motivos em particular. Primeiro, porque mostra uma família negra, dado não mencionado pelo texto verbal. Segundo, porque há uma alternância entre cenas que compõem a espera, cujo clima estático é criado pela cor sépia, e cenas de situações dinâmicas, que são multicoloridas. Portanto, a constituição cromática impressa nas imagens mostra o estado de ânimo das personagens. Nas figuras sépias, as pessoas esperam, paradas; o texto verbal também sinaliza essa espera. A cada visitante que chega, as cenas ganham cor. Assim, as imagens coloridas sucedem as estáticas, representando-se assim o tédio sendo substituído pela alegria, o alvoroço provocado pela visita recém-chegada. A onomatopeia *trrrim* desencadeia a ação, pois anuncia a vinda de alguém, confirmada no plano verbal.

A estrutura linguística dos dois livros pauta-se na repetição da palavra. Em *A casa sonolenta*, há sempre a retomada de um conjunto de informações, acompanhada da introdução de um elemento novo. "Era uma vez uma casa sonolenta, onde todos viviam dormindo. Nessa casa tinha uma cama, uma cama aconchegante, numa casa sonolenta, onde todos viviam dormindo" (WOOD, 2003, p. 5-6). Já em *Tanto, tanto!*, a entrada de uma personagem implica a repetição de um ritual linguístico que anuncia a sua chegada:

> Eles não estavam fazendo nada, Mamãe e o bebê.
> Nada mesmo.
> E então...
> Trrrim! Trrrim!
> – Olaaaaaá!. (COOKE, 2000, p. 7)

Em *Se a lua pudesse falar*, o figurativo e o verbal vão tecendo a narrativa. Mais precisamente, o enredo constrói-se pela articulação entre palavra e ilustração e mostra a formação do cenário – ora o quarto da menina, ora o ambiente externo, ora a fusão entre ambientes externo e interno. O reconhecimento de formas e de ambientes pelo leitor infantil propicia um situar-se porque os elementos apresentados são facilmente reconhecidos. Isso também acontece pela correlação entre palavra e ilustração, de modo que esta se ocupa de detalhes anunciados por aquela e também amplia possibilidades semânticas sugeridas pela palavra. No primeiro par de páginas da história, a linguagem verbal indica o espaço da narrativa como um quarto, caracterizado pela visualidade.

A ilustração ajuda o leitor na percepção da dicotomia entre os espaços interno e externo por meio da alternância entre o quarto da criança e o exterior, que inicialmente constitui-se nos arredores da casa, sendo ampliado de forma gradual. Desse modo, evidencia um paralelismo entre os ambientes interno e externo. O cenário interno possui uma moldura, ao passo que no externo o limite é a página, pois não há outro indicador visual.

Depois, a moldura como demarcador de espaços interiores desaparece. Após a caracterização do quarto, o pai lê uma história para a filha e outras personagens que estavam nesse ambiente. Quando a menina adormece, a ilustração materializa seu sonho numa cena em ambiente externo emoldurada, ao contrário dos outros espaços externos mostrados até então. Outro dado é que a representação figurativa do sonho é formada tanto por elementos do quarto quanto por elementos presentes no livro lido pelo pai, mas todos aparecem num ambiente externo. Ou seja, a protagonista se transforma e agora não é apenas uma menina em seu quarto, ela anda por diversos ambientes, a partir das histórias que ouve.

O narrador, mobilizado pelo que ocorre fora do dormitório da menina durante a noite, vale-se de uma estratégia discursiva que confere mais verossimilhança à história. Cede a palavra à lua para apresentar aspectos exteriores ao quarto, repetindo: "se a lua pudesse falar, ela contaria...". Quando o narrador assume o discurso de forma direta, centra-se no quarto da menina, e quando ele é porta-voz da lua, mostra o ambiente externo. Essas vozes narram com certo paralelismo, pois enquanto se mostra no quarto o "derradeiro clarão" que o ilumina, a lua "contaria do entardecer que cai sobre a floresta...". Na sequência seguinte, o narrador enfoca a luz que se acende no quarto, enquanto a lua "contaria das estrelas que aparecem" e da fogueira. Mais adiante, no quarto, há "um copo, um barco de madeira e uma estrela-do-mar", enquanto a lua "contaria das ondas arrebentando na praia". Essa correspondência se mantém na obra porque a lua tende a mostrar no ambiente externo algo semelhante ao percebido no quarto, em termos de cenário e de atores. Apenas quando a criança dorme os elementos internos, externos e da história ouvida pela protagonista se fundem. E então a lua também entra no quarto e "contaria da criança que dorme a sono solto em sua caminha fofa. E bem baixinho, sussurraria em seu ouvido: Boa noite..." (BANKS, 2000, p. 31-36).

As duas linguagens apresentam o pai lendo uma história para a filha. Mas a sequência de ilustrações sugere que a trama passa de um livro para o outro, pois o camelo e o deserto presentes na narrativa e na ilustração do livro lido pelo pai constituem também o cenário da obra que nós estamos lendo. Há um rompimento da proposta narrativa em relação à construção do espaço ficcional: cria-se um jogo figurativo entre imagens que mostram o que é contado e o que é imaginado. Além disso, o jogo das palavras segue a mesma direção. A integração dos códigos aparece no paralelismo e na complementaridade entre as linguagens – uma atua como mote para desenvolver a outra – e também na fusão delas.

BASES PARA A LEITURA DE NARRATIVAS

Como ler uma narrativa? Como estudá-la? Essas questões envolvem uma decisão teórica, ou seja, para ler a narrativa escolhemos um viés, um caminho. Nesta investigação, estudamos a significação a partir das linguagens verbal e visual que constituem a maioria das narrativas contemporâneas produzidas para a infância. Um texto pode manifestar-se, como objeto interativo e significativo, em diferentes linguagens – verbal, sonora, gestual, visual – ou, em decorrência de sua organização interna e de seu contexto, numa combinação delas. As diferentes possibilidades de manifestação textual, entendidas como universos organizados por elementos articulados, contêm as chaves para sua significação. Atualmente, as pesquisas sobre o discurso narrativo se ocupam de campos distintos, como os múltiplos sistemas de linguagem e de comunicação, a visualidade, a arte, as práticas culturais e sociais e as derivações da tecnologia produzidas pelas linguagens lógicas.

Os componentes da estrutura narrativa estão presentes nos textos verbais e nas combinações verbo-visuais, bem como nas obras organizadas exclusivamente pela visualidade, pois estas guardam sua natureza imagética e avançam no terreno da narrativa literária. Mesmo não utilizando as tradicionais estruturas da língua, textos exclusivamente visuais surgem como relatos e detêm componentes sintáticos e semânticos da narrativa.

Entendemos por narrativa uma forma de expressão e de comunicação que há muito acompanha o ser humano. Ela está presente em todas as sociedades, em todos os tempos e lugares, começando com a própria história da humanidade. Quase tudo o que se conta é narrativo, da conversa com amigos ao filme, do relato sobre a preparação de um bolo ao diário. Acreditamos que

> não há em parte alguma povo algum sem narrativa; todas as classes, todos os grupos humanos têm suas narrativas, e frequentemente estas narrativas são apreciadas em comum por homens de cultura diferente, e mesmo oposta; a narrativa ridiculariza a boa e a má literatura; internacional, trans-histórica, transcultural; a narrativa está aí, como a vida. (BARTHES, 1971, p. 18)

A narratividade de um texto situa-se na "transformação entre dois estados sucessivos e diferentes [...] quando se tem um estado inicial, uma transformação e um estado final" (FIORIN, 2004, p. 21). Essa transformação ocorre associada à temporalidade e agrega ainda as categorias narrador, espaço e personagens que, no caso da ilustração, materializam-se na figuração, para também "narrar" os eventos regidos por esses componentes e que são ativados pelo leitor.

O *narrador* organiza as ações em um tempo e em um espaço, podendo ocupar diferentes posições, adotar perspectivas diversas e também indicar suas atitudes e modalizar seu relato (ADAM; LORDA, 1999). Ele é o senhor do discurso e como tal coloca as personagens em cena. A *personagem* é o que há de mais vivo na narrativa, pois a leitura desta depende basicamente da aceitação da verdade daquela por parte do leitor. Assim, podemos dizer que "o romance se baseia, antes de mais nada, num certo tipo de relação entre o ser vivo e o ser fictício, manifestada através da personagem, que é a concretização deste", ressaltando-se que "há afinidades e diferenças essenciais entre o ser vivo e os entes de ficção, e que as diferenças são tão importantes quanto as afinidades para criar o sentimento de verdade, que é a verossimilhança" (CANDIDO, 1998, p. 55).

As personagens estão alocadas em *espaços*, que podem se assemelhar a recortes da realidade, estabelecendo uma fronteira entre elas e o mundo imaginário. O espaço da ficção constitui o cenário da obra, no qual as personagens vivem suas ações e sentimentos, enfim, dão forma a sua existência. As descrições, por exemplo, funcionam como pano de fundo dos acontecimentos, constituindo índices da condição social da personagem e de seu estado emotivo (D'ONOFRIO, 2006).

O *tempo* é um aspecto fundamental da narrativa. Há o tempo no qual a história ocorre que, no caso da literatura infantil, é predominantemente o passado, e o tempo da contação, o tempo do discurso. Os fatos podem ser revelados valendo-se de uma organização temporal que mobilize as expectativas do leitor.

Além dos aspectos estruturais, encontramos, na narrativa, formas linguísticas e discursivas com as quais construímos e expressamos nossa subjetividade. Na atualidade, os textos narrativos chegam ao leitor por vários caminhos e com finalidades diversas. Graça Paulino (2003, p. 48) sintetiza algumas instâncias constituintes das significações das narrativas:

- O suporte: folheto, revista, livro, cinema, televisão, teatro, internet, disco.
- A proposta: pragmática, ficcional, informativa e outras.
- A estrutura: linear, circular, fragmentária, hipertextual.
- A apropriação: crianças, adolescentes, povo adulto, elite erudita.
- A construção sensorial: auditiva, visual, mista.
- A linguagem: verbal (oral/escrita), pictórica, fotográfica, cinematográfica, gestual.

Tais aspectos interferem na produção de significações. Interessa-nos aqui a proposta ficcional, de natureza verbal e plástica. Lembramos que, conforme Paulino, a proposta ficcional teria por objetivo fomentar o imaginário dos leitores/espectadores, produzindo mundos encenados pela linguagem verbal.

Estamos, pois, imersos em estruturas narrativas. A história de nossa vida está atrelada ao conjunto de histórias que já lemos, vimos ou ouvimos, pois é a partir delas que construímos a nossa. Jorge Larrosa (2003), de certa forma, justifica a presença de narrativas na nossa vida ao afirmar que na

> aprendizagem do discurso narrativo e na participação em práticas discursivas narrativas, constituímos, aprendemos, melhoramos e modificamos tanto os vocábulos que usamos para a autodescrição como os modos de discurso nos quais articulamos a história de nossas vidas. É na forma de tratar os textos que já existem que adquirimos um conjunto de dispositivos semânticos [...] e um conjunto de dispositivos sintáticos [...] para a autocriação, para narrar-nos no interior desses dispositivos, para fazermo-nos e refazermo-nos através da construção e reconstrução de nossas histórias. Assim, a história da história da vida é a história dos modos como os seres humanos têm construído narrativamente suas vidas. E a história da história de nossas vidas é a história das narrações que temos ouvido e lido e que, de alguma forma, estão em relação conosco. (LARROSA, 2003, p. 618)[15]

Pela linguagem, as pessoas contam suas experiências, preveem acontecimentos, refletem sobre o acontecido. Enfim, as vivências são armazenadas pela memória que é atualizada, pois há um desejo de dizer, de expor, de ser ouvido. O fato é contado por um narrador que

---

15 Tradução livre do fragmento: "el aprendizaje del discurso narrativo y en la participación en prácticas discursivas narrativas constituimos, aprendemos, mejoramos y modificamos tanto los vocabulários que usamos para la autodescripción como los modos de discurso en los que articulamos la historia de nuestras vidas. Es en nuestro trato con los textos que están ya ahí que adquirimos un conjunto de dispositivos semânticos [...] y un conjunto de dispositivos sintácticos [...] para la autocreación, para narrarnos en el interior de esos dispositivos, para hacernos y rehacernos a nosotros mismos a través de la construcción y la desconstrucción de nuestras historias. Así, la historia de la historia de la vida es la historia de los modos en que los seres humanos han construído narrativamente sus vidas. Y la historia de la historia de nuestras vidas es la historia de las narraciones que hemos oído y leído y que, de algún modo, hemos puesto en relación con nosotros mismos".

atribui ações a determinadas personagens, inseridas em um tempo e um espaço específicos ou incertos. As ações das narrativas ocorrem dentro de certa temporalidade, na qual as personagens vão se transformando, mesmo que essa transformação seja interior. Não há, pois, narrativa se não houver conflito e mudança na protagonista.

Quem não gosta de ouvir histórias? Crianças, adultos ou idosos apreciam uma boa história narrada por um contador que sabe dar vida a um conflito. A palavra oral adapta o conflito ao ouvinte, seduzindo-o. E a história ouvida é o primeiro livro de diversos leitores. São livros ouvidos e vividos, literalmente. Há histórias que se transformam dentro do leitor, com ele crescem e também o transformam, como já nos ensinou Eduardo Galeano, na narrativa "A função do leitor/1":

> Quando Lucia Peláez era pequena, leu um romance escondida. Leu aos pedaços, noite após noite, ocultando o livro debaixo do travesseiro. Lucia tinha roubado o romance da biblioteca de cedro onde seu tio guardava os livros preferidos.
> Muito caminhou Lucia, enquanto passavam-se os anos. Na busca de fantasmas caminhou pelos rochedos sobre o rio Antióquia, e na busca de gente caminhou pelas ruas das cidades violentas.
> Muito caminhou Lucia, e ao longo de seu caminhar ia sempre acompanhada pelos ecos daquelas vozes distantes que ela tinha escutado, com seus olhos, na infância.
> Lucia não tornou a ler aquele livro. Não o reconheceu mais. O livro cresceu tanto dentro dela que agora é outro, agora é dela. (GALEANO, 1995, p. 20)

As narrativas se transformam dentro do leitor e o transformam. Porém, elas só o acompanham porque houve o acesso à história. Possivelmente, alguém propiciou essa relação inicial, assumindo, desse modo, a mediação. O ser humano se mobiliza por meio das histórias que escuta e é importante que alguém lhe conte, lhe apresente os conflitos que sintetizam a natureza humana.

Outra base de sustentação dos nossos estudos refere-se à natureza da literatura infantil, ou seja, ao seu estatuto. Para nos ajudar nessa área, buscamos a voz de vários pesquisadores, em especial, de Regina Zilberman (1984). Ao discutir questões inerentes ao gênero e ao configurar-lhe um estatuto, a autora aponta como aspecto constitutivo da literatura para a infância a assimetria que existe na concepção do texto – um adulto (produtor) escreve para a criança (consumidor). Além disso, essa literatura, na sua essência, é adultocêntrica, pois o adulto escreve, edita, seleciona, divulga, escolhe, compra, enfim, autoriza a criança a manusear o livro. Para que a assimetria e o adultocentrismo sejam amenizados, surge uma condição fundamental na constituição do texto: a adaptação. A obra produzida pelo adulto, visando à infância, passa por um processo de adaptação do tema, da forma, do estilo e do meio, a fim de atender às necessidades do leitor mirim.

O nosso objeto de estudo é o livro de literatura infantil. Não basta ser qualquer livro publicado para a infância, precisa ser literário. Aqui entra o conceito de literatura. Desse modo, para que o texto infantil se configure como literário necessita respeitar princípios da literatura, ou seja, deve ser mimético ou verossímil,[16] apresentar uma proposta de mundo organizado, ser polissêmico (isto é, conter mais de uma possibilidade de leitura) e prever espaços para a atuação do leitor. Nessa categoria não estão as histórias realistas que ocorreram com os membros de uma determinada família, nem aquelas que orientam o comportamento da criança em certa situação, como as que discorrem acerca de alimentação balanceada, respeito aos colegas, higiene pessoal. A literatura infantil precisa, ainda, assumir o ponto de vista do seu receptor, no caso, a criança, para que atue como mediadora entre o leitor e o mundo, e não como uma traição às suas expectativas.

---

16 Mimese e verossimilhança são termos usados a partir de Aristóteles. Um texto mimético é aquele que não mostra a realidade tal qual ela é, mas a representa e, desse modo, cria uma forma peculiar de apresentação das ações humanas. Já a verossimilhança tem relação com o parecer verdade. O texto verossímil não é o que mostra a verdade, o que aconteceu, mas aquilo que uma coletividade aceita como possível de ter acontecido.

COMPLEXIDADE DA LEITURA VERBO-VISUAL

*Um texto só é um texto se ele se oculta ao primeiro olhar,
ao primeiro encontro, à lei de sua composição e à regra de seu jogo.*
Jacques Derrida

A visualidade é um aspecto relevante na caracterização do texto de literatura infantil, por suas condições de produção e de circulação, o que implica uma visibilidade. O texto torna-se visível ao impor-se ao leitor, ao convocar para si o olhar, ao conquistar a atenção e a adesão dele. Para tanto, são utilizados recursos do jogo plástico e criam-se efeitos diversos. Entre eles, aquele que resulta da ativação da percepção, da sensibilidade e das lembranças causadas por determinado fenômeno manifestado pela leitura do livro, capaz de provocar uma reação corporal e emocional do sujeito, alterando seu estado de ânimo. A visão de algo comove e emociona, o toque em determinada superfície pode arrepiar, sensibilizar. Essas modificações de natureza corporal são exemplos do fenômeno desencadeado na relação entre sujeito e objeto, neste caso, o texto, como um diálogo marcado pela imaginação, pelo sentir, pelo prazer do leitor, caracterizando a leitura como uma experiência.

Na obra *Exercícios de ser criança*,[17] de Manoel de Barros (1999), por exemplo, o jogo plástico chama a atenção para as imagens criadas em bordados. E o texto verbal, poético e também plástico cria ritmo e ação, na medida em que alterna páginas com frases dispostas linearmente e páginas em que as frases acompanham o movimento ondulado do vento. A ilustração mostra que a água carregada na

---

17 A imagem da capa pode ser visualizada em *sites* de livrarias, já que não obtivemos autorização para reproduzi-la.

peneira, ao atravessá-la, deixa de ser água e assume a forma de letras. As letras do termo *peraltagens*, que aparece em bordados, são crianças que brincam com seus objetos lúdicos. Instaura-se um jogo no qual palavras são imagens que se transformam, pela cor, forma e matéria, integrando-se às brincadeiras, como referências mostradas na visualidade. E, ao mesmo tempo, a imagem é a palavra. Os signos verbais assumem a brincadeira, ou melhor, jogam com as formas plásticas, passando de letras a personagens. Quebram-se os limites entre ser apenas palavra ou ser apenas imagem. As formas e os signos da escrita transgridem seus sistemas, para brincar e saltar, levando o leitor ora para o universo da visualidade, ora para o da verbalização, ou mesclando tudo num jogo entre linguagens.

Como tais aspectos poderiam ser lidos? A leitura entendida como ação mecânica para obter informações não caberia nesse texto. O ler, aqui, implica mais do que buscar um dado ou ainda a interação entre as linguagens. Ler a literatura (que é uma obra artística) pressupõe aproximar aspectos do texto e aspectos da vida do leitor. A leitura é sentida como uma experiência, uma vivência, como

> algo que nos forma (ou nos de-forma e nos trans-forma), como algo que nos constitui ou nos põe em questão naquilo que somos. A leitura, portanto, não é só um passatempo, um mecanismo de evasão do mundo real e do eu real. E não se reduz, tampouco, a um meio de se conseguir conhecimentos. (LARROSA, 2002, p. 133-134)

A experiência de leitura pode provocar uma transformação do indivíduo, a qual se dá por meio de "uma relação de produção de sentido" (ibidem, p. 137). E, possivelmente, está ligada a algo que se torna significativo para o indivíduo, entrando em seu mundo. Pela leitura, o que não era significativo pode passar a ser e adicionar-se ao conhecimento preexistente, seja do mundo, seja de si. Desse modo, o leitor não é mais o mesmo depois de uma experiência de leitura.

Para exemplificar, lembramos de um fato singular vivido por uma estudante da graduação em Letras. Ao ler *Exercícios de ser criança*, sua emoção se intensificou ao perceber, pela mediação docente, que quando a palavra indicava a preferência da protagonista pelos vazios aos cheios, o que sugeria sua incompletude, a ilustração (p. 16-17) era o avesso do bordado da capa. Ao viver essa experiência estética, correu-lhe uma lágrima silenciosa.

Na estrutura da literatura infantil constatamos que, em determinados momentos, a imagem antecipa os sentidos revelados pela palavra e, em outros, mostra-os de forma paralela, tratando de aspectos não explicitados pela escrita; por vezes, apenas confirma as palavras, por vezes, orienta a leitura. Portanto, a ilustração não tem um papel predefinido, sua significação vai se constituindo pela relação entre os elementos expressivos e o conteúdo que veiculam. Desse processo participam tanto a cor, a forma, a localização espacial e os materiais e suportes utilizados, quanto as combinações das unidades da língua escrita, a seleção e a organização vocabular nas estruturas sintática e semântica. Cria-se um todo articulado por diferentes unidades e, pela interação com o objeto lido, supera-se a recepção e a percepção, para instalar-se um sujeito capaz de atribuir sentido ao texto, como resultado da experiência, da organização e da articulação entre todos os componentes que participam do processo de leitura.

Para entender o papel do cenário em uma ilustração, voltamos à história da representação. Na antiga Grécia, a *skené* era o local onde os atores trocavam de roupa e máscara. Na Idade Média, o conceito confunde-se com a própria liturgia religiosa ou com o poder feudal, situando, como locais preferenciais para efetivar as representações, as igrejas e os castelos, colocando as personagens nesses espaços. Na época do Romantismo, o cenário tem por função ser a mais exata e impressionante forma de descrever a realização da narrativa. Até a metade do século XX, foi tratado como decoração, mas, em seguida, passa a ter grande importância, ao colocar elementos que vão além da atuação das personagens, conforme contribuições de Millaré (1998).

Do teatro às artes gráficas, do cinema ao meio virtual, o cenário estabelece o clima, a base do perfil social, psicológico e econômico, fornecendo dados para a consolidação de conceitos de tempo e de espaço. O cenário é, pois, um dos elementos dessa modalidade textual conhecida como narrativa.

Diante dos dados sobre a composição da narrativa já expostos, compreende-se que na literatura infantil muitos são os pontos relativos à complexidade da leitura verbo-visual. A partir dessa consideração, vamos discutir aspectos composicionais de duas narrativas visuais – *Outra vez* e *Cena de rua*,[18] da mineira Angela Lago (1984 e 1994, respectivamente) – e uma narrativa verbo-visual – *Griso, o unicórnio*, de Roger Mello (1997).

IMAGENS NOS LIVROS HOJE

> *Alice estava começando a descansar... uma ou duas vezes*
> *tinha dado uma olhada no livro que a irmã estava lendo,*
> *mas ele não tinha figura nem conversa.*
> *– Pra que serve um livro sem figura nem conversa?*
> Lewis Carroll

Atualmente, as crianças, em geral, iniciam o processo de aprendizado da leitura de modo autônomo (como fez Saramago), a partir do contato com impressos, entre eles, os livros. As primeiras experiências de natureza lúdica e de descoberta têm a marca essencial das qualidades sensoriais e plásticas. São, em especial, os elementos gráfico-plásticos que inicialmente fixam a atenção dos pequenos, aqueles pelos quais o texto começa a ser percebido pelo leitor. A

---

18 Idem.

capa e a contracapa formam a moldura de histórias ou de poemas; ambas contêm informações e fazem emergir hipóteses do que se espera encontrar no miolo do exemplar. O efeito dessa apresentação, quase sempre acompanhada de ilustração, é semelhante ao de uma embalagem que, por suas características, suscita o desejo de posse, guarda um mistério, ativa a curiosidade e, ao mesmo tempo, sinaliza algumas possibilidades à mente de quem se aproxima do objeto.

As pistas oferecidas pela capa colaboram para a compreensão da obra, pois a interação se inicia ainda antes da leitura da história. Assim, apreciar ilustrações e palavras e apropriar-se das informações disponíveis na capa pode influenciar a compreensão, especialmente quando se trata de literatura infantil, gênero que se vale dos sistemas verbal e visual. Essas duas linguagens convidam à interação e proporcionam a significação da obra pelo leitor.

Eixos narrativos

Outra vez, de Angela Lago, é uma narrativa visual, publicada em 1984, que conta várias histórias sem usar a palavra. A profusão de imagens possibilita a convivência de diferentes eixos narrativos que originam múltiplas histórias e diferentes níveis de leitura. Para essa discussão, elegemos o eixo narrativo em que uma menina negra carrega um vaso de flores, amor-perfeito, e o entrega a um menino com coroa, que, por sua vez, deixa-o numa cozinha em troca de um prato de suspiro. O vaso é levado pelo gato, que faz uma serenata a uma gata deitada. Esta rejeita o visitante cantor que, assustado, derruba o vaso, o qual é apanhado por um cachorro jardineiro e este o entrega novamente à menina. O enredo confirma o título, sugerindo circularidade, ou seja, a história pode ser reiniciada, pois o vaso retorna ao ponto de partida.

Figura 14 – Ilustração de *Outra vez* (Angela Lago, 1984, p. 6-7).

Todas as cenas acontecem à noite e são emolduradas de forma a lembrar quadros. Cada cena destaca momentos significativos do percurso do vaso. As ações recuperam momentos da vida de uma cidade cuja arquitetura é antiga. Um aspecto marcante da narrativa é a composição do cenário, composto pelo interior de casas e também pelo ambiente externo, inclusive telhados com telhas de barro. Há adornos nas construções: anjos deitados, lambrequins, relógio-cuco, campanário. A arquitetura remete a casarios antigos, com suas janelas amplas.

Luís Camargo (1995, p. 72-79) analisa as funções desempenhadas pela ilustração nessa obra e pontua o aspecto descritivo. Pelos traços da visualidade, o livro situa o enredo num quarteirão de uma cidade mineira, ressaltando vários elementos da arquitetura e da ornamentação do Barroco mineiro. O estudioso reconhece, entre outros, a igreja com torre cilíndrica, como a de Nossa Senhora do Rosário, em Ouro Preto, e as de São Francisco, em São João del-Rei e Ouro Preto; os tipos de verga, apresentada de forma reta nas casas da primeira ilustração de página dupla; alteada, em canga de boi, na casa do menino fantasiado de rei; e em ponta na casa de D. Quimera; a grimpa da igreja de Nossa Senhora do Ó, em Sabará; o passadiço da Rua da Glória, em Diamantina; a Casa da Ópera e o mirante da Casa dos Contos, em Ouro Preto.

No que se refere à proposta narrativa, a ilustração cria vários eixos semânticos. Percebemos, por exemplo, o diálogo com um clássico da tradição literária para a infância, pois a menina com vestido vermelho, que leva um vaso com amor-perfeito, parece ser uma variante de Chapeuzinho Vermelho. Camargo destaca outro eixo, relacionado à presença de várias personagens, como elementos de um coro, que comentam a ação principal, e ressalta o percurso do anjinho que

> dorme de barriga para cima, acorda, se espreguiça, esfrega os olhos, observa a menina descendo os degraus, disfarça fazendo xixi, observa o gato ladrão, senta no banco e observa o gato cantar a gata, digo, cantar para a gata; aplaude o cachorro-herói que recupera o vaso e volta para a igreja. (CAMARGO, 1995, p. 74)

Fica a incerteza se a personagem volta mesmo para uma igreja, uma vez que não há cruz cristã, mas uma lua; assim, talvez se trate de um templo pagão, e a imagem de anjo que vimos seja um cupido.

O menino está cercado por uma arca, livros, um globo, um bule de café, uma carta celeste, um periscópio-telescópio e um quadro e, ao ganhar o vaso de flores, troca-o com a vizinha, D. Quimera, por uma bandeja de suspiros e começa a comê-los. O doce suspiro lembra o suspiro amoroso. Já o nome da doceira, Quimera, escrito no seu avental, sugere ideias vãs, esperanças infundadas. Ainda, o vaso não era de qualquer flor, mas de amor-perfeito, e, aparentemente se perde, mas retorna à protagonista pelas mãos, ou melhor, patas de um cão, animal símbolo de fidelidade e de amizade.

Figura 15 – Menino com suspiros (*Outra vez*).

Figura 16 – Cabra atacando as flores no vaso (*Outra vez*).

Figura 17 – Dona Quimera na sua cozinha (*Outra vez*).

Outro dado sugerido pela ilustração são os pontos de vista eleitos, que podem se relacionar à posição do narrador. A opção é a perspectiva de cima para baixo: as casas são vistas a partir dos telhados, não aparece o forro dos tetos ou a parte de baixo dos beirais. Camargo (1995) afirma, a partir da ilustração, que a menina mora no segundo andar de um prédio, em frente ao quarteirão onde se passa o enredo, e, por isso, viu tudo o que aconteceu depois de entregar as flores ao menino. O fato de mostrar as imagens de cima aponta que a história está sendo contada na perspectiva da menina, a qual atua como narradora.

A caracterização da protagonista destaca também a etnia e a cultura afro: ela tem a pele marrom e usa trancinhas. Além disso, ela não está na cozinha, nem esperando o príncipe; pelo contrário, toma a iniciativa de mostrar e doar seu amor-perfeito, o que caracteriza uma postura emancipatória, tanto do negro quanto da mulher. O texto ainda valoriza o imaginário, já que a história se passa à noite, sugerindo que poderia ter sido um sonho.

O caráter lúdico destaca-se nessa narrativa. Camargo (1995) pontua que há um esconde-esconde entre as imagens, como no trocadilho visual constituído pela atuação do anjinho, supracitada, e também por um caracol numa escada em forma de caracol. A história parece uma brincadeira de "passa-vaso", lembrando o passa-anel, e recupera a circularidade sugerida pelo título do livro e por cantigas de roda que falam de escolhas. O desfecho da narrativa é um convite ao reconto, a uma outra história.

Denúncia

Cena de rua é uma narrativa exclusivamente visual, de Angela Lago, publicada em 1994. Nesse mesmo ano, a obra foi premiada pela Fundação Nacional do Livro Infantil e Juvenil (FNLIJ) como melhor livro de imagem. Conforme informações da própria autora, a produção plástica dos originais foi realizada em pintura com tinta acrílica sobre papel-cuchê brilhante, em formato quadrado. Esse é um exemplo de obra em que predomina o estilo expressionista. O texto enfoca, entre outras possibilidades, um problema social: o abandono da criança em cidades. As personagens da trama são retiradas de situações facilmente reconhecidas no cotidiano urbano. De um lado, a narrativa mostra a criança comercializando produtos no trânsito e, de outro, o medo ou a indignação estampados nos passageiros dos veículos. Quanto à estrutura da história, o livro desvia-se do modelo vigente nas produções para crianças, pois apresenta as características do conto tradicional, porém, sem a intervenção de poderes mágicos. Além disso, ele aproxima o leitor do tema abordado com dramaticidade intensa.

Na capa, um forte contraste é criado entre o fundo negro e a área central branca com bordas coloridas. Estas últimas são preenchidas por pequenos segmentos pintados de verde, variações de azul, vermelho, amarelo e laranja. A forma quadrada da apresentação do título lembra uma claquete utilizada como cartaz identificador em uma filmagem, associando-se à palavra *cena*. As letras, delineadas em vermelho sobre o fundo branco, mostram marcas de pinceladas, parecendo estar sobre uma superfície dura e áspera, como de um muro ou de uma parede. O efeito de textura dá a esses traços qualidades similares ao clima que se segue: a hostilidade vigente numa determinada situação de rua. No canto inferior direito da área clara, há uma mancha amarela que se mistura ao branco, criando um efeito de luz e abrindo caminho para o olhar, que vagueia pela superfície escura do fundo e, desamparado pelo espaço vazio e negro, volta à claridade do título.

A curiosidade incita o leitor a prosseguir, e a escuridão intensifica-se ao abrirmos o livro, sendo ampliada em uma página dupla preta, com total ausência de luz. Circular nesse espaço-rua, criado como um local escuro, promove a sensação de medo e de insegurança, causada pelo movimento às cegas. O enunciador apresenta um ambiente que mobiliza o leitor. As imagens que se sucedem estão sobre uma superfície preta, que atua como base de cada uma das cenas, um pano de fundo que permanece até o final do texto. A sensibilidade é atingida por um clima de tensão gerado pela presença do preto e amenizada pela zona colorida, mas sem desaparecer de todo.

A problemática social da criança de rua nas grandes cidades é tratada visualmente na perspectiva da exclusão de direitos e da insensibilidade coletiva diante do drama de sobrevivência dos mais fracos. A linguagem visual organiza a significação no texto, enfatizando-se as relações de contraste entre cores e formas que criam oposições e homologam o conflito social da infância desprotegida (Figura 18). O jogo de perspectiva proposto modifica as posições do leitor, levando-o a aproximações e distanciamentos em relação às cenas. Criam-se variações de estados de ânimo no texto e no leitor, rompendo-se as fronteiras entre sujeito e objeto. O texto convida o leitor para o diálogo e a interação.

Figura 18 – Criança comercializando produtos na rua
(*Cena de rua*, Angela Lago, 1994, p. 9).

A dimensão cromática percebida na Figura 18 manifesta-se também na sequência das páginas, organizadas com as mesmas cores de um semáforo (Figura 19), o que cria uma alternativa para a modificação da "normalidade" tácita instituída; serve também de alerta para a naturalização da temática da exclusão social, do trabalho e da exploração da infância na rua. A convenção dos sinais é invertida, transformada em transgressão, e o menino movimenta-se contra o fluxo do trânsito.

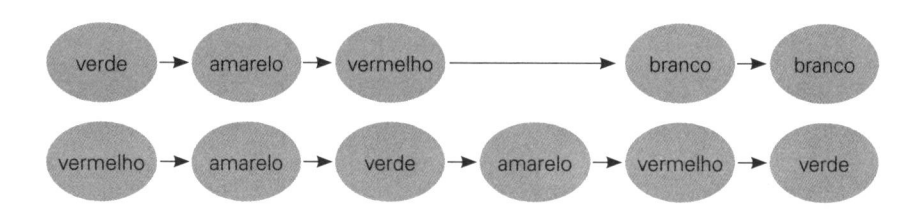

verde → amarelo → vermelho ⟶ branco → branco
vermelho → amarelo → verde → amarelo → vermelho → verde

Figura 19 – Esquema de cores presente nas páginas do livro *Cena de rua*.

A criança em situação de abandono faz da rua o seu local de trabalho e, possivelmente, o seu lar, engrossando a massa que perambula pelas grandes cidades. Motivos variados podem colocá-la nessas condições. O conflito nas relações familiares, quase sempre causado por problemas financeiros, explica a presença das crianças na dura realidade da rua. Esse é um segmento da infância que se confronta muito cedo com a marginalidade, o roubo, as drogas e também com o trabalho e a luta pela sobrevivência em uma sociedade injusta e desigual. É desse contexto e contra ele que sai o grito expressionista das imagens de *Cena de rua*. Tudo isso é revelado pela visualidade, e o leitor deve estar atento às nuances do texto para dialogar com a proposta semântica da obra.

Desafio

Apresentamos duas obras em que os sentidos se constituíam apenas pela visualidade. Agora, focamos um texto híbrido, composto por palavra e ilustração. A comunhão de linguagens faz que a ilustração desempenhe vários papéis. Muitas vezes ela antecipa ou confirma significados propostos pela palavra, mas também pode apresentar-se como um desafio a ser vencido pelo leitor, a fim de relacioná-la à palavra. Para demonstrar a existência de uma relação desafiante e ambígua entre formas e significados, tomamos a obra *Griso, o unicórnio*, de Roger Mello. Nela, a personagem é o último exemplar de sua espécie e percorre o mundo à procura de alguém semelhante a ele, sendo esse o seu conflito.

O verbo grisar, acinzentar, é o eixo gerador e transforma-se em nome, imprimindo identidade ao nomeado e propondo um sentido de neutralidade. Há um aparente paradoxo entre o nome e o atributo cromático. O valor cinza – o "não ser", situado entre o branco e o preto – está na palavra, mas não na imagem da capa, um animal todo azul. O leitor depara-se com uma assimetria caracterizada pela contradição entre o que a palavra anuncia e o que a imagem mostra. Instala-se o conflito, e o leitor pode ser mobilizado por sensações e lembranças e criar associações. O signo verbal remete a um elemento considerado neutro, mas as diferentes formas e cores que a personagem assume na ilustração mostram as múltiplas explicações culturais dadas a esse ator, bem como referenciam contextos e períodos da história da arte, que se combinam para construir a significação. Palavras, cores, figurações e cenários misturam-se e participam de um jogo sintático e semântico que organiza o texto.

A íntima relação entre visualidade e palavra é fio condutor para explorar a noção de tempo na obra, que é constantemente atualizada, num ir e vir entre passado e presente, na busca do futuro, enquanto a personagem transita por diferentes lugares povoados por elementos da história e da arte. A figuração da personagem remete a diferentes cenários: ao surrealismo – um tempo de sonho; ao mundo grego, ao egípcio; ora remete às raízes brasileiras da literatura de cordel, ora ao cenário medieval; ou ainda situa a imagem no espaço vazio, sem revelar identidade determinada. As ilustrações, nesse caso, trazem maior densidade ao texto verbal e contribuem para a sua compreensão.

Uma característica marcante do livro é a variedade. A concepção sobre o unicórnio como um ser mitológico é mantida, porém as diferenças peculiares da aparência participam de uma cadeia de construção de sentido que se entrelaça no texto. Cada espaço constituído por legenda e imagem é autônomo, mas a unidade permanece. A aparência plural assumida e os distintos cenários por onde Griso se desloca pertencem a universos variados que contextualizam diferentes períodos e lugares. Com isso, a obra fornece elementos de natureza cultural, social e psicológica, que, combinados, articulam as marcas identificadoras do estado de ânimo da personagem. O leitor transita entre formas, cores e palavras, aciona as próprias vivências, memórias e outras referências extratextuais ancoradas em outros tempos e espaços. Nas relações entre os modos de construção desse discurso e a atuação do sujeito leitor, a leitura pode se tornar uma experiência de sentir e de dialogar com o texto, num percurso de significação que se constitui ao longo desse caminho.

Desvelar a ambiguidade depende do maior ou menor repertório por parte de quem lê. No livro aqui focalizado, a falta de conhecimentos sobre a arte universal é um fator que limita as possibilidades de compreensão do leitor. O acesso à literatura infantil contemporânea pode ter na imagem um primeiro elemento mediador da leitura, por meio da utilização do pensamento concreto, ligado à figuração, além de depender das experiências do leitor com o mundo. E as crianças são evidentemente espontâneas e tratam a imagem como ponto de apoio para desencadear o processo de leitura. No entanto, nem sempre a ilustração é um aspecto facilitador, como constatamos em *Griso, o unicórnio*, caso em que o mediador é fundamental para o entendimento do livro.

TRAJETÓRIA DA IMAGEM

Nos textos escolhidos para este estudo, percebemos diferentes temas que vão sendo tratados pela literatura a partir da presença de ilustração e palavra. O espaço literário recortado da obra de Angela Lago traz, no mundo das imagens produzidas pela artista, exemplos da variedade de significados que a ilustração propicia enquanto linguagem constituidora de sentido.

Em *Outra vez*, o cenário externo é situado numa cidade histórica, e a circularidade do enredo atualiza o papel da princesa ou de Chapeuzinho Vermelho, como também a valorização da cultura negra, visto que a protagonista da história representa a cultura afro-brasileira, fruto da miscigenação – aspectos percebidos de modo exclusivamente visual. Além disso, são ressaltados elementos de construção espacial, que auxiliam na delimitação do local e do tempo em que se passa o enredo, situando a história num cenário antigo e, consequentemente, distante do leitor. No entanto, o conflito posto e o modo como ele se apresenta seduzem o interlocutor contemporâneo.

Cena de rua apresenta dramaticamente a infância abandonada, por meio do emprego de cores, formas e técnica pictórica. Os originais foram criados em pintura gestual, pinceladas rápidas e tinta farta, dados que se somam para gerar texturas plásticas de efeito expressionista. A visualidade estrutura sentidos por meio de repetições, oposições e relações que assumem o caráter de denúncia de uma situação excludente, produto de uma sociedade que se diz civilizada.

Em *Griso, o unicórnio*, há um jogo de alianças entre a experiência poética e estética. Entendemos a poética como o ato de produção simbólica, criado pelo artista, que pode propiciar uma vivência significativa para o receptor, por meio de uma experiência estética. E esta última diz respeito à qualidade da interação, aquela que propicia o sentir e o criar de novas modalidades de pensamento diante do objeto de diálogo. O percurso nesse labirinto textual estimula o leitor a desencadear uma conversa entre linguagens e significados, numa lógica comunicativa em que transitam signos de diferentes naturezas. As ilustrações mostram períodos históricos que se combinam e nos remetem ao conceito de dialogismo,[19] empregado por Bakhtin, a partir do qual podemos entender que uma imagem responde a outra que lhe é distante. A obra vista como um conjunto de imagens de diferentes épocas surge como um exemplo de diálogo com uma tradição, oriunda do imaginário. Em cada página, há uma multiplicidade de referenciais.

A obra constrói um espaço de liberdade por meio da reescrita que resulta das escolhas do autor-artista e dá visibilidade a um mosaico de alusões. A característica marcante da leitura de *Griso, o unicórnio* é que, a cada página folheada, surge um novo espaço a ser visitado pelo sensível e pelo inteligível, formado por legenda e por imagem, que compõem um texto independente da sequência narrativa, além de surpreender pelo inusitado, ao mesmo tempo em que mantêm a unidade e a coerência. Esse livro extrapola a classifica-

---

19 Bakhtin desenvolve o conceito de dialogismo ao longo de sua obra. Para esta afirmação, utilizamos referenciais presentes principalmente em *Estética da criação verbal*.

ção catalográfica de literatura infantojuvenil, pois apresenta aspectos figurativos que pressupõem outros leitores. Para o iniciante, a visualidade oferece o atrativo lúdico e temático das múltiplas representações de animais e cores; para o leitor estético, a complexidade desse texto híbrido é um desafio a superar.

A observação das três obras permite-nos afirmar que as publicações mais recentes incluem recursos variados para a ativação dos sentidos do leitor, de modo que a criança é convidada a tocar o livro, observá-lo, manuseá-lo. No momento da leitura, ela é provocada pelo conjunto de linguagens da obra, interage com elas e, dessa forma, constrói significações.

Como vemos, uma obra de literatura infantil pode formar-se pela palavra, mas também materializar-se apenas pela visualidade, como é o caso de *Outra vez* e *Cena de rua*. Independente da sua natureza e do modo como se dá a conhecer, o texto, se artístico, rompe com os estereótipos a que o ser humano está socialmente condicionado.

As obras literárias podem até mostrar o já conhecido, mas sob uma nova roupagem, gerando o estranhamento que colabora para a emancipação do leitor. É pelo diálogo do leitor-criança com a literatura que o gênero pode auxiliá-lo no processo de libertação de laços naturais, religiosos e sociais (JAUSS, 1994, p. 56). O leitor recria o que é proposto pela linguagem (ou linguagens) no texto e, a partir de suas vivências, constrói uma significação peculiar.

Abordamos até agora aspectos que auxiliam na construção de um conceito de ilustração no livro infantil, bem como ressaltamos particularidades dessa linguagem e discorremos sobre as peculiaridades da narrativa e da literatura infantil, além de apresentarmos breve exercício de leitura de duas narrativas visuais e uma verbo-visual. Almejamos estabelecer vínculos entre as linguagens do livro infantil, a fim de refletir sobre o acesso do leitor ao texto com tais singularidades.

Caro leitor,

Se o livro é um produto cultural, ele tem uma materialidade a ser considerada no ato da leitura. É formado por capa com determinadas características, por miolo com certa encadernação, por projeto visual, constituído de diagramação e ilustrações, entre outros. Essa materialidade pode ser entendida como a embalagem, o pacote que contém a surpresa a ser desvelada pela leitura. Assim, vamos agora pensar um pouco mais sobre o objeto livro e sua proposta de sentido, sobre como ele se dá a conhecer. Passemos à leitura de duas narrativas verbo-visuais em sua totalidade.

Focalizamos *Ah, cambaxirra, se eu pudesse...*, escrito por Ana Maria Machado e ilustrado por Graça Lima (2003), e *Indo não sei aonde buscar não sei o quê*, escrito e ilustrado por Angela Lago (2000). A análise de cada obra passa pelo olhar atento sobre o livro como um objeto, implica avançar e retroceder, tocar, ler de novo. A porta de entrada é a capa. A análise é minuciosa, apresentando múltiplas possibilidades de sentidos que nascem do texto. Entretanto, não esgota as significações possíveis, servindo como base para o professor que se disponha a levá-la à sala de aula, onde, certamente, nascerão novas leituras.

Acrescentamos ainda que a melhor forma de ler as análises é tendo em mãos o livro estudado. Bem, vamos à leitura.

II – Leitura do texto literário híbrido

Um texto se abre para a vida somente quando é lido.
Wolfgang Iser

Qual é o lugar da literatura na escola? Qual é o seu papel na formação da criança? O que e como o estudante brasileiro lê?

Essas são questões que se colocam quando pensamos nos resultados de avaliações como o Sistema de Avaliação da Educação Básica (SAEB), a Prova Brasil e o Programa Internacional de Avaliação de Alunos (PISA), as quais vêm apresentando índices insatisfatórios de aproveitamento escolar no que se refere à competência de leitura.

Diante desses resultados, é importante considerar, além do déficit de leitura, as peculiaridades de cada instrumento, já que cada procedimento avaliativo possui uma orientação específica. Magda Soares ressalta, a partir, por exemplo, de documentos que fundamentam o PISA, que esse sistema focaliza "habilidades de leitura necessárias em situações da vida real – ler 'para uso público', ler 'para a educação' – e, por isso, os testes privilegiam a compreensão de textos informativos e as habilidades necessárias para a utilização desses textos e a reflexão sobre os mesmos" (SOARES, 2005, p. 32). Depreende-se, pois, que é necessário investir em processos de ensino que contemplem estratégias para o desenvolvimento das competências inerentes à leitura. Nossa investigação pretende contribuir nesse sentido.

A leitura do texto literário tem sido objeto de poucos estudos, talvez pelo diletantismo atribuído ao gênero. Entre as investigações que se ocupam do tema, apontamos estudos realizados e desencadeados por Regina Zilberman a partir dos anos 1980, e pelo Programa de Pós-graduação em Letras da Pontifícia Universidade Católica do Rio Grande do Sul (PPGL/PUC-RS), no qual foram gestadas várias dissertações e teses sobre a leitura literária. Há ainda as pesquisas realizadas pelo Centro de Alfabetização, Leitura e Escrita da Universidade Federal de Minas Gerais (CEALE-UFMG).

Magda Soares (2001) investiga formas de escolarização da literatura infantil e juvenil. Números e resultados comprovam o que pais, alunos, professores e empregadores já percebem: o ensino brasileiro não está sendo eficaz na formação de estudantes e profissionais qualificados. Diante dessa realidade apontada pelas avaliações, torna-se necessário, além de investigar as causas do insucesso escolar, propor alternativas que possam colaborar para uma mudança no quadro. Foi com o intuito de atuar nesse cenário que desenvolvemos a pesquisa "A produção de sentido e a interação texto-leitor na literatura infantil".[1] O projeto estudou a leitura infantil enquanto fenômeno construído pelo leitor, a partir da sua interação com a ilustração e com a palavra e da interação das linguagens entre si na narrativa verbo-visual.

A investigação ocorreu na Universidade de Caxias do Sul. A seguir, compartilhamos nossas inquietações, focalizando os estudos de duas narrativas verbo-visuais, realizados por: (a) análise das obras; (b) discussão acerca do modo como as crianças leem espontaneamente os textos; (c) elaboração de roteiro de leitura e sua aplicação em turmas de terceira série (quarto ano) do ensino fundamental; (d) análise da aplicação do roteiro.

---

1 Essa pesquisa obteve apoio financeiro da FAPERGS por meio do Edital PROADE/2.

A reflexão sobre o modo de leitura espontânea das crianças (etapa *b*) provém de dados coletados por meio de dois procedimentos específicos de entrevista de leitura, um envolvendo a narrativa *Ah, cambaxirra, se eu pudesse...* de forma individual, com um grupo de cinco estudantes matriculados na terceira série e selecionados pela professora da turma, e outro envolvendo *Indo não sei aonde buscar não sei o quê,* com catorze estudantes de três turmas de terceira série também indicados pela professora, por serem considerados os melhores leitores da classe. O levantamento de dados foi pautado pela entrevista episódica, adaptada de Bauer e Gaskell (2003).

Após o contato com as escolas, obtivemos autorização para realizar a coleta de dados e iniciamos a seleção dos alunos que seriam entrevistados. Nesse momento, as professoras titulares tiveram papel fundamental, pois, por conhecerem seus estudantes, lhes foi solicitado que indicassem cinco, entre os melhores leitores da turma. São considerados bons leitores, na investigação, os sujeitos que apresentam fluência de leitura, ou seja, já dominam a etapa de decodificação alfabética. Após a indicação, as professoras esclareceram aos selecionados os objetivos da pesquisa e a modalidade de participação, por meio de entrevista. As crianças receberam informações por escrito sobre a investigação, bem como o termo de esclarecimento e autorização. Esse documento foi encaminhado aos pais ou responsáveis que, caso permitissem a participação do filho, era preenchido e enviado à escola. Somente foram entrevistados alunos devidamente autorizados por escrito para participar dessa atividade.

A entrevista ocorria em apenas um encontro entre entrevistadora e entrevistado. Não houve acompanhamento anterior ou posterior. No primeiro momento, a entrevistadora expunha a finalidade do encontro e logo questionava o estudante sobre sua relação com a leitura, envolvendo aspectos como o acesso aos livros, o local e o horário para a leitura, as concepções de livro e de literatura, os títulos lembrados, entre outros. Num segundo momento, apresentava uma obra infantil para que a criança lesse. A leitura era individual e podia ser oral ou silenciosa, de acordo com a preferência do estudante, pois não havia o objetivo de avaliar sua fluência, mas proporcionar o conhecimento da obra apresentada. Por fim, o aluno falava sobre a narrativa lida, revelando os sentidos atribuídos à obra – personagens, conflito, tempo, espaço, enredo e desfecho, entre outros aspectos – a partir da interação com os códigos linguístico e visual.

Figura 20 – Capa do livro *Ah, cambaxirra, se eu pudesse...* (Ana Maria Machado, 2003).

A NATUREZA E A CULTURA EM CENA NUMA NARRATIVA VERBO-VISUAL[2]

Ler é uma operação da memória por meio da qual as histórias nos permitem desfrutar da experiência passada e alheia como se fosse a nossa própria.
Alberto Manguel

---

2 Este texto foi produzido e compartilhado entre as pesquisadoras e a bolsista Taciana Zanolla, que também participou da organização, aplicação e análise dos roteiros de leitura.

Ah, cambaxirra, se eu pudesse... é um conto que pertence à literatura popular. Ana Maria Machado adaptou essa narrativa para a linguagem escrita, e Graça Lima a transportou para a visualidade. O texto possui a estrutura de conto cumulativo, própria das narrativas transmitidas oralmente, em que a repetição e a retomada de ações são aspectos marcantes. No conto, a cambaxirra faz um ninho no galho da árvore mais bonita da floresta, mas surge um lenhador para cortá-la. Ao pedir que ele não a derrube, ouve: "Ah, cambaxirra, se eu pudesse...". E o lenhador justifica-se, afirmando que recebeu a ordem do capataz, uma pessoa de quem ele tem muito medo. Cambaxirra, então, procura o capataz, a fim de impedir que o lenhador corte a árvore. Mas o capataz também diz receber ordens, nesse caso, do barão. "E morro de medo dele" (MACHADO, 2003, p. 11), conclui. Ela vai até o barão... Assim, o passarinho procura outros superiores que poderiam impedir a derrubada da árvore, ouvindo de todos a mesma resposta: "Ah, cambaxirra, se eu pudesse...". Acumulam-se personagens, numa espécie de lenga-lenga. O conflito se resolve quando, finalmente, a protagonista chega até o imperador e este, sob a ameaça de a Cambaxirra pedir ajuda de "todo mundo", ordena que a árvore não seja derrubada. Ocorre, então, a confraternização de todos sob a sombra da árvore que sobreviveu.

Analisaremos a obra do ponto de vista de seus constituintes verbais e visuais, para, a seguir, investigar o modo de leitura do livro por crianças e examinar uma proposta de mediação de leitura para a obra e os resultados da testagem dessa proposta.

A capa como a embalagem do livro

Como já dissemos, o leitor estabelece o primeiro contato com a obra por meio da capa, que pode seduzir ou não para a leitura, atraindo a atenção e convidando o leitor a entrar no universo que o livro guarda. Na capa de *Ah, cambaxirra, se eu pudesse...*, destacam-se o título e o nome da autora em duas faixas amarelas sobrepostas às ilustrações.

A frase que constitui o título está em evidência, traçada com um tipo de barbante amarelo, o que possibilita percebermos os fios mais finos que a compõem e sugere um relevo de caráter artesanal. Além disso, quando linhas fechadas se formam no interior das letras, este é preenchido por cores diversas. Esses recursos destacam o título, que lembra a resposta a um pedido, um desabafo, talvez, pressupondo um diálogo com o interlocutor. Dessa forma, o título instigaria a curiosidade do leitor, pois não oferece informações diretas sobre o conteúdo da narrativa, como personagens ou conflitos; além disso, por ser constituído de signos linguísticos e por elementos visuais – cores e fio amarelo –, ele sugere o entrelaçamento de linguagens para a construção de sentido, um processo que permeia todo o texto. Durante a leitura do conto, o leitor descobre que a frase do título representa a fala das personagens com quem a protagonista dialoga. "Ah, cambaxirra, se eu pudesse..." é a justificativa para não ajudar a cambaxirra salvar sua árvore. Assim, o título anuncia a expressão que se repete diversas vezes ao longo da história e se explica durante a leitura.

As figuras do pássaro e do monarca sugerem harmonia e amizade entre eles, o que não se confirma durante a leitura do texto. Pelo contrário: a cambaxirra e o imperador entram em confronto, trocando ameaças, até o pássaro decidir que pediria auxílio a "todo mundo junto" (ibidem, p. 25), "convencendo" o monarca a dar a ordem que salva sua árvore. Dessa forma, a ilustração da capa amplia os sentidos da narrativa, uma vez que a amizade entre as duas personagens só poderia acontecer depois da resolução do conflito, expressa no desfecho da história. Por outro lado, a imagem também apresenta uma oposição entre os dois, por meio da diferença de tamanho: a cambaxirra cabe na mão do imperador, ao passo que este domina a imagem a ponto de partes de sua figura ficarem fora da ilustração. Essas diferenças lembram os papéis antagônicos representados pelas duas personagens, que defendem interesses contrários: cortar a árvore *versus* preservá-la.

Em uma primeira leitura, as figuras da capa não se oferecem totalmente à compreensão do leitor. A capa dá pistas sobre o conteúdo do livro, de modo não convencional, pois as informações sobre personagens e conflito são apresentadas pela linguagem visual, ao contrário da maior parte das obras infantis, que as veicula no título (linguagem verbal). Também aparecem signos recorrentes da narrativa, propondo referências ou pistas para a leitura, representadas pelo fio, pela frase do título, pela cor amarela e pela própria protagonista. Além desses, outros elementos da capa ampliam os sentidos do que se encontra no decorrer da narrativa.

Figura 21 – Árvore onde a cambaxirra pretende fazer seu ninho
(*Ah, cambaxirra, se eu pudesse...*).

Aspectos organizadores da narrativa

A apresentação da floresta como cenário ocorre, primeiro, na capa, pela visualidade. As cinco árvores representadas como fundo da ilustração principal são diferentes umas das outras em forma e cor. Esse cenário também está na contracapa. À direita, ao lado de um comentário sobre a coleção, observamos a representação de uma floresta, com árvores de formas e cores variadas e pássaros brancos e negros. Destacamos a inovação dessa imagem, seja pela diversidade de cores e formas, seja pela disposição de seus elementos – o espaço ocupado pela ilustração é vertical, mas as árvores estão posicionadas horizontalmente, algumas direcionadas para a esquerda e outras para a direita (Figura 22). A estratégia de inversão na posição e o tratamento dos detalhes nas árvores sinalizam a relevância do espaço natural e um provável conflito a ser superado.

Figura 22 – Árvores: espaços horizontal, p. 2 e 3, e vertical; contracapa (*Ah, cambaxirra, se eu pudesse...*).

A diversidade é uma característica da obra, desde as figurações de floresta, propondo um espaço não convencional para o enredo e valendo-se da diferença como elemento enriquecedor que rompe padrões de representação convencional, até seus personagens, como veremos adiante.

É importante lembrar que a cambaxirra (Figura 23) é diferenciada dos demais pássaros nas ilustrações, seja por sua forma, seja por sua cor. Essa caracterização peculiar justifica-se por suas atitudes ao longo da história: ela é determinada, persistente e esperta. Enquanto a palavra narra a trajetória da protagonista para salvar a árvore, a ilustração apresenta-a dinâmica e decidida. Essas características destacam-se de maneira especial na imagem em que a cambaxirra conversa com o imperador (Figura 24). Sua postura altiva e segura, apesar das ameaças do monarca, a configuram como um passarinho diferente não só dos demais pássaros, mas também das personagens humanas, que temem seus superiores. Dessa forma, imagem e palavra se inter-relacionam para a construção da identidade da protagonista, pois ambas oferecem elementos constituintes de sentido, significativos também pelas interações que estabelecem entre si.

Figura 23 – Primeira ilustração da protagonista no miolo
(*Ah, cambaxirra, se eu pudesse...*).

Figura 24 – Primeiro encontro entre cambaxirra e imperador
(*Ah, cambaxirra, se eu pudesse...*).

O fio condutor

A presença do fio é constante em toda a narrativa. Ele está na capa, na contracapa e na página de rosto, seja como o barbante amarelo que contorna o título, seja estilizado, como a linha que acompanha a identificação da ilustradora e da coleção. Também aparece contornando a numeração das páginas e formando uma espiral que se desfaz.

Além de chamar a atenção do leitor para elementos do texto, como a protagonista, o título e a resposta dada à cambaxirra, a presença desse fio lembra a ligação observada entre as personagens durante a busca empreendida pelo pássaro. É como se esse fio acompanhasse a cambaxirra, que está envolta por ele na ilustração da página 4, e aproximasse nobres e plebeus na responsabilidade de salvar sua árvore. O formato espiralado das pontas da linha e sua recorrência sugerem esse envolvimento.

O desenrolar do fio

De posse dos sentidos atribuídos a partir da capa, da contracapa e das páginas iniciais, o leitor adentra na história. Possivelmente, tenha elaborado hipóteses sobre a sequência da narrativa, imaginando quais personagens se integrariam à trama, o que se passaria entre eles e em que lugar se desenvolveria a ação. Nesse universo, é provável que estejam inseridos o pássaro e o imperador, assim como a floresta. Ao interagir com a narração do conto, o leitor irá adequando suas suposições aos elementos apresentados, aceitando ou refutando hipóteses. Assim, entra em jogo o procedimento de negação, pois o texto oferece pistas que não se concretizam (ISER, 1996). O entendimento entre cambaxirra e imperador, sugerido pela ilustração principal da capa, se configura como uma negação que desafia o leitor, já que essa situação não está presente na história e a imagem não se repete no interior do livro.

As personagens pertencentes à hierarquia da nobreza são descritas pela ilustração, à esquerda, e, a seguir, sua participação é narrada, pela palavra, à direita. Embora seja dado destaque ao primeiro plano da imagem, a presença dos cenários, em segundo plano, é de grande importância para a compreensão do enredo. Ao ilustrar o lugar onde cada personagem vive, o cenário auxiliaria o leitor a construir as respectivas identidades, já que, por pertencerem à nobreza, são desconhecidos da maioria dos leitores mirins. Assim, por exemplo, o capataz mora em uma casa, enquanto os nobres habitam castelos. Mesmo entre nobres, a caracterização das moradias contribui para a compreensão da hierarquia: o barão, que ocupa uma posição inferior na cadeia de poder, mora em um castelo menor e mais simples, enquanto o marquês reside em um castelo pomposo, tão extenso que não cabe no fundo da ilustração. Além disso, a expressão que dá título à obra se repete na voz desses nobres em inscrições sobre faixas coloridas, em torno de cada personagem que pronuncia a sentença. Essas faixas eram utilizadas como um recurso nas ilustrações medievais, época a que pertencem as personagens. Além de apresentar a expressão que dá título à obra, essa aplicação contribui para a ambientação da história e do próprio leitor, ao oferecer mais um aspecto característico de uma época.

As vestimentas também caracterizam as personagens (Figura 25). As roupas e os adereços marcam diferenças, pois, à medida que a posição se eleva na hierarquia, há mais luxo na indumentária. O visconde, por exemplo, não usa joias, embora suas vestes sejam de um nobre. Já o conde e o duque, além de roupas mais refinadas, portam joias: o conde, que ocupa uma posição inferior, enfeita a gola, e o duque, subordinado direto do imperador, tem colares enormes e dedos repletos de anéis.

Figura 25 – Exemplo da hierarquia dos nobres: da esquerda para a direita, visconde, marquês e duque (*Ah, cambaxirra, se eu pudesse...*).

A aparência física das personagens denota, em alguns momentos, fragilidade ou mesmo truculência ligadas às relações de poder. A cabeça pequena em relação ao corpo, na imagem do barão, pode remeter a alguém que não toma decisões. Já as pernas finas ou curtas que sustentam uma estrutura pesada, no caso do visconde e do marquês, reforçam a fragilidade dessas personagens diante da hierarquia e, provavelmente, também a fragilidade do poder que representam. Com exceção do imperador, os demais são subalternos; formas e falas revelam a ilusão da autoridade que eles representam, pois apenas fazem parte de uma hierarquia: todos temem seu superior e atribuem ao outro a responsabilidade pela tomada de decisão. Esses aspectos da ilustração sugerem que o poder das personagens é frágil, até mesmo falso, ideia confirmada na afirmação: "Estou só cumprindo ordens".

A forma caricatural empregada na representação das personagens não é gratuita. À medida que a posição da personagem está mais próxima do topo, onde se situa o imperador, aumenta sua deformidade física. Tronco e barriga desproporcionais, cabeça enorme, aparência monstruosa – a ilustração do conde, por exemplo, lembra o vampiro Drácula – são elementos das imagens que se intensificam ao se aproximar do monarca. Ou seja, quanto mais poderoso, mais deformado.

É importante ainda mencionar a caracterização do imperador, que ordena a suspensão do corte da árvore (Figura 24). A palavra o apresenta como um monarca autoritário. Veja como se dirige à cambaxirra:

> Em primeiro lugar, você devia me chamar de Vossa Majestade. Em segundo, não tinha nada que ir entrando assim pela janela e falando, devia marcar audiência. Em terceiro, faço o que bem entendo e não tenho nada que dar satisfação a ninguém. E vou dar uma ordem: saia daqui imediatamente. (Ibidem, p. 23)

Na ilustração, vemos uma personagem apontando o dedo para a cambaxirra, esbravejando e curvando-se sobre ela, tentando intimidá-la. O soberano parece pequeno dentro de roupas e coroa grandes, a lembrar a fragilidade de sua condição em relação ao papel que tenta representar. O manto é especialmente emblemático, pois, sobre ele, estão escritas as palavras "majestade" e "poder", várias vezes e de diferentes formas. Esse poder é apenas um revestimento externo, que recobre simbolicamente um homem com limites. Uma leitura possível sugere que a autoridade pautada no medo não é autêntica, a imposição a torna frágil e superficial. A cambaxirra percebe a fraqueza do monarca e ameaça pedir ajuda a todo mundo para salvar a árvore, obtendo do imperador aquilo que desejava. A ilustração seguinte ao embate entre protagonista e monarca mostra o percurso da ordem de preservação da árvore, dada pelo imperador e repassada a cada personagem da hierarquia, por seu superior, resolvendo o conflito (Figura 26). Entretanto, não é esse o final da narrativa.

Figura 26 – Divulgação da decisão do imperador
(*Ah, cambaxirra, se eu pudesse...*).

Figura 27 – Desfecho da narrativa
(*Ah, cambaxirra, se eu pudesse...*, p. 28 e 29).

A última ilustração ocupa página dupla e apresenta uma cena de festa. As personagens procuradas pela cambaxirra se distribuem em torno de uma longa mesa (Figura 27). Ou seja, a conquista do passarinho é comemorada por todos, uma vez que trouxe ganhos não apenas à protagonista, mas também aos demais participantes. A disposição horizontal em torno da mesa, em atitude de brinde, leva ao entendimento do sucesso da cambaxirra e permite afirmar que as relações entre as personagens foram modificadas. Os nobres não estão colocados em ordem hierárquica, e o clima de confraternização propõe amizade entre todos os participantes. Ao centro está a árvore que motivou a trama.

A organização das personagens ao redor de uma mesa permite que se associe à cena as representações da Santa Ceia, o que reforça a noção de harmonia, de final feliz. Todos os olhares convergem para o imperador, que ocupa uma das cabeceiras da mesa, e o lenhador está na outra extremidade, ocupando espaço de mesma importância. Outro elemento recorrente na ilustração é o fundo amarelo, que cria efeito de luminosidade. No contexto da narrativa, podemos considerar que a persistência da cambaxirra trouxe luz à escuridão, entendida como uma representação do medo.

Pelo exposto, constatamos que a visualidade cumpre um papel singular nesse livro, pois, além de apresentar ao leitor o cenário e a protagonista, antecipando-se à palavra, veicula o desfecho do conto, que não é referido pela linguagem verbal. Assume, pois, diferentes funções ao longo da narrativa: descreve ambiente e personagens; antecipa ou contradiz a linguagem verbal, como observamos na capa; e apresenta uma cena posterior à narrativa escrita, como no final do conto, criando um desfecho que vai além da palavra. Dessa forma, o tratamento dado aos códigos linguístico e visual amplia os sentidos do texto.

Uma possível leitura da obra escolhida

Diante da análise dos constituintes verbais e visuais do texto, quais seriam as possibilidades de significação da obra? É praticamente impossível esgotá-las, pois o texto literário é polissêmico, e o leitor constrói sentidos na interação com o objeto, a partir de seu repertório. Dessa forma, se cada sujeito atribui sentido à obra de acordo com sua experiência e seus anseios, novas significações podem ser configuradas a cada leitura, já que o texto é atualizado pela ação do leitor.

Entretanto, a atribuição de sentido não ocorre aleatoriamente, mas se dá a partir do texto, que apresenta limites dentro dos quais o leitor constrói a significação. Além dos vazios (aquilo que até é sugerido, mas não está dito) que o sujeito preenche com seu conhecimento e experiências (ISER, 1996), há outros constituintes da obra, ou seja, pistas que o texto oferece e podem ser seguidas na leitura. Na obra literária em análise, essas pistas reúnem os elementos visuais e linguísticos já investigados. A partir deles, apresentamos algumas propostas de sentido para *Ah, cambaxirra, se eu pudesse...*, cientes da limitação do estudo e de que as indicações não excluem outras abordagens.

Entre as leituras possíveis, destacamos a valorização da diversidade, que fica clara na representação da floresta, da "árvore de galho mais bonito da floresta" e da cambaxirra. A diferença é valorizada ao longo de toda a história; é, por exemplo, o elemento que define a identidade da protagonista, tanto na sua aparência física, como nas suas atitudes. A iniciativa, a autonomia e a persistência da ave, inferidas a partir das ações que compõem a história, a diferenciam das demais personagens. Ao destacar as características da protagonista, que assume o papel de heroína, a narrativa incentiva a criança e até mesmo o leitor adulto a cultivarem esses valores, que podem levar à emancipação pessoal, atributo característico da literatura infantil (ZILBERMAN, 1984).

Opondo-se às atitudes da cambaxirra, observamos o individualismo das demais personagens. Ao pedir pela preservação da árvore, a protagonista recebe a mesma resposta de todos os subordinados do imperador: "Ah, cambaxirra, se eu pudesse... Mas não é comigo. Estou só cumprindo ordens.". O medo e a covardia possibilitam a existência e a manutenção de uma hierarquia baseada no autoritarismo. O comodismo também contribui para essa situação: em troca de posição, prestígio e dinheiro, as personagens assumem uma atitude submissa que mantém a cadeia de medo, mas também lhes proporciona "ganhos". Entretanto, a persistência da cambaxirra e a união que ela propõe ao ameaçar o imperador – "Eu vou sair por aí e pedir ajuda a todo mundo" (MACHADO, 2003, p. 25) – mostram-se eficazes para combater o autoritarismo e o jogo de interesses. A história mostra que todos têm responsabilidade em manter ou desfazer esses laços. Nesse ponto, observamos uma crítica às estruturas de poder e aos mecanismos que as sustentam. O texto afronta a ideia de que a hierarquia não pode ser quebrada e de que apenas o chefe é responsável por sua existência.

Esse viés político aparece em outros momentos da narrativa. A deformidade das personagens pode ser lida como um alerta sobre o poder, sobre a tentação de utilizar a posição ou o cargo em benefício próprio, como ocorre no conto. A menção às estruturas burocráticas do poder também aparece na fala do imperador, assim como o seu autoritarismo: "Em primeiro lugar, você devia me chamar de Vossa Majestade. Em segundo, não tinha nada que ir entrando assim pela janela e falando, devia marcar audiência" (ibidem, p. 23). O "marcar audiência" pode lembrar os entraves criados pelas instituições, seja em épocas remotas, seja em atuais, a fim de (não) ouvir o cidadão.

No entanto, o conto não fala apenas das eternas lutas da população para ter suas necessidades atendidas por aqueles que deviam representá-la. Traz ainda questões sobre a essência do humano, como a dicotomia essência-aparência, sinalizada pelo descompasso entre a indumentária das personagens nobres (joias, roupas e penteados sofisticados) e suas estruturas físicas (cabeça, tronco e pernas deformados e desproporcionais). Esses elementos colocam o leitor diante do mesmo dilema das personagens: qual é o preço que se paga para representar papéis sociais? O que é preciso para estar em harmonia consigo? O texto apresenta as escolhas feitas pelas pessoas e as consequências dessas decisões, o que pode levar o leitor à reflexão.

Outra significação possível é a relação homem-natureza, sugerida, já na capa, pelo imperador e pelo pássaro. O final do conto sugere uma postura ecológica: a preservação da árvore onde a cambaxirra pode construir seu ninho. É importante observar que, mais do que defender a natureza, a protagonista lutou pelo objeto a que devota amor.

As propostas de leitura construídas neste estudo consideraram os constituintes verbais e visuais como portadores de sentido, assim como as relações que poderiam ser estabelecidas entre as duas linguagens. O objetivo não era apresentar uma análise minuciosa da obra infantil, mas comprovar que o leitor interage com as palavras e ilustrações na leitura de narrativas híbridas.

Diante dos elementos analisados, consideramos que a obra possibilita ao leitor refletir sobre as relações de poder que se estabelecem em uma sociedade e faz apologia à coragem e à persistência, por meio da atuação da cambaxirra. Acreditamos que o texto cumpre sua função emancipatória,[3] ao possibilitar ao leitor vivenciar uma situação de enfrentamento de dificuldades, refletir sobre ela e agregar essa experiência ao seu repertório. Zilberman (1984), ao discorrer sobre a literatura infantil, afirma que esta desempenha um papel formador ao propiciar à criança a ampliação de suas vivências sem que ela deixe a segurança do lar.

Leitura do conto cumulativo por crianças

Como as crianças leem o conto cumulativo, a partir dos constituintes da obra já analisados? Elas são capazes de perceber e significar os elementos presentes no livro? Que sentidos atribuem ao texto? Além disso, se o livro é constituído, no mínimo, por palavra e por ilustração, perguntamos: a criança lê a ilustração relacionando-a à palavra e vice-versa?

Para sistematizar essa reflexão, analisamos a voz dos leitores mirins. Ao discorrer sobre o modo como os entrevistados entendem a obra, apontamos fatores que podem favorecer o desenvolvimento da competência leitora pelos estudantes das séries iniciais do ensino fundamental.

Essa análise é feita a partir de um *corpus* de cinco entrevistas episódicas realizadas com alunos de terceira série (quarto ano)

---

[3] O conceito de emancipação atribuído à literatura é trazido de estudos de Hans Robert Jauss (1994). O autor argumenta, como já foi afirmado, que o texto literário desempenha importante papel, uma vez que auxilia o ser humano a libertar-se das amarras naturais, religiosas, políticas e sociais.

do ensino fundamental (currículo de oito anos), de escola caxiense. Cada entrevista durou em torno de trinta minutos e ocorreu no ambiente escolar dos sujeitos pesquisados. O protocolo para coleta de dados consistiu em entregar à criança o livro e solicitar sua leitura, sem nenhuma indicação sobre o modo de realizá-la (voz alta ou silenciosa). Apenas foi comentado sobre a liberdade para ler como quisesse, parando, retomando, conversando. A seguir, apresentamos sucintamente a leitura dos cinco sujeitos participantes.[4]

S1 leu a narrativa em voz alta, sem interrupção e concentrado, demonstrando boa oralização. Encerrada a leitura, a entrevistadora indagou sobre como termina a história e as respostas citaram partes da narrativa: "o imperador pediu pro conde, pro visconde, pro capataz, pra todos, impedindo de cortar o galho onde ela tava fazendo o ninho", ignorando o desfecho do conto. A imagem que representa o fim da narrativa apenas recebeu atenção do leitor após a indicação da entrevistadora, mas ele não compreendeu o que se apresentava ali: "Eu não entendi essa parte. Por que eles ficaram alegres?". Percebemos a prioridade dada ao texto verbal e a falta de familiaridade com a leitura de imagens. O universo da visualidade aparece com um papel decorativo e não integrado à palavra, mas captura a atenção, já que durante toda a leitura, as primeiras referências foram buscadas nas ilustrações.

Indagada sobre o papel das ilustrações, a criança afirmou que sem as imagens não entenderia que a "Majestade 'tava' conversando com a cambaxirra, que é um passarinho...", evidenciando a importância da visualidade para o reconhecimento da protagonista. Durante a conversa sobre a história, o leitor manuseava o livro, movendo suas páginas e indicando as ilustrações.

S2 leu o livro silenciosamente, inclusive os dados sobre autora e ilustradora, na última página. Quando recebeu a obra, foi ao corpo do texto, ignorando a capa. A leitura iniciou-se pela observação da ilustração e depois da palavra. Às vezes, voltava para a ilustração e a

---

[4] A identificação dos sujeitos entrevistados será feita pela letra S, numerando-os de 1 a 5.

observava com muita atenção[5] (em especial nas p. 12 e 26). Encerrada a leitura, o aluno não abriu mais o livro, nem para olhar as figuras, ao ser questionado sobre elas. O entrevistado foi objetivo e preciso nas respostas às questões propostas. Ao ser perguntado, apontou o colorido da ilustração, destacando o amarelo como uma cor marcante, por ser "uma cor viva". Acrescentou que a leitura de livro sem ilustração fica "mais sem graça", caracterizando a visualidade como um aspecto sedutor, e indicou que a ausência de ilustração prejudicaria a concretização da narrativa ao afirmar: "porque eu não ia podê imaginá o que tá acontecendo". Também levantou hipóteses sobre o processo de produção de uma narrativa verbo-visual, pois acredita que "primeiro vem os desenhos, depois eles [autor] escrevem".

Esse leitor manteve a atenção focada na cor e não mencionou outras peculiaridades da ilustração, mesmo ao ser convidado a observar como as personagens eram "desenhadas", o que havia de diferente ou semelhante. Dessa entrevista, destacamos que o sujeito entendeu o desfecho da narrativa, pois afirmou que "a história termina com uma festa, porque não cortaram a árvore", considerando a ilustração como integrante da narrativa.

S3 levantou possibilidades de sentido para a história a partir da capa. Sugeriu que talvez fosse a história de "um rei que era mau e ficou bom porque não gostava da natureza"; no entanto, não conseguiu comprovação da hipótese levantada pelos elementos da capa: o rei, o pássaro e as árvores. O sujeito fez a leitura em silêncio e, em alguns momentos, movia os lábios. Olhava a ilustração à esquerda e depois lia a palavra, à direita. Às vezes, voltava para a ilustração, observando-a com bastante atenção. No entanto, à medida que a história avançava, passava por algumas páginas sem lê-las, dizendo que seria "a mesma coisa", ou seja, percebeu a repetição característica do conto cumulativo, perguntando: "vai ser a mesma coisa até o fim?". Isso demonstrou que ele ainda não concebia essa estratégia discursiva como um jogo no

---

5 Parsons (1992) afirma que a criança passa por estágios da compreensão estética e que, no início, é mobilizada pelas cores fortes, como já foi constatado nesta investigação.

processo da leitura, vendo a repetição com enfado, o que empobrece sua experiência estética. Ao encerrar a leitura, concluiu: "Acho que eu acertei o que eu tinha falado do rei mau que depois vira do bem". O entrevistado percebeu um aspecto inerente à narrativa: a transformação das personagens. Também demonstrou satisfação pela confirmação de suas hipóteses acerca da narrativa.

Após a primeira leitura, a conversa motivou esse sujeito a voltar ao texto, manuseando as páginas do livro. Reconheceu a cambaxirra como protagonista e destacou que a expressão "se eu pudesse..." significa que as pessoas diziam querer auxiliar o pássaro, mas não conseguiam. No entanto, como passou por algumas páginas sem ler, não percebeu que o diálogo entre a protagonista e o imperador foi distinto dos demais. A entrevistadora sugeriu que o estudante retomasse essas páginas, porém ele não se ateve à palavra, apenas olhou a ilustração, buscando respostas na visualidade. Indagado sobre as ilustrações, afirmou que elas são diferentes de outras conhecidas, mas não conseguiu explicitar o porquê. A entrevistadora questionou se a diferença estaria no modo de fazer ou naquilo que elas mostravam, ao que o sujeito respondeu ser o "modo de fazer, com pincel". A técnica empregada não é familiar no âmbito da escola: uso do pastel, uma espécie de giz que produz um efeito de pintura com tinta, por causa da textura do papel, levando o leitor a interpretar como pintura a pincel. O que chama a atenção, nessa afirmação, é o fato de a criança ter pensado no modo de produzir a ilustração e não ter se referido às suas cores e formas.

O sujeito acrescentou que a leitura sem a ilustração seria igual, negando a visualidade. Essa posição articula-se ao discurso escolar que prioriza o verbal e critica o fato de um aluno alfabetizado ainda buscar obras com forte presença de imagens. Por insistência da entrevistadora, S3 manifestou que a ilustração pode ser "um pouquinho" importante, "pra saber quem era o imperador, se ele era alto, baixo, magro ou gordo". Isso sinaliza uma explicação da visualidade dissociada da narrativa, de caráter descritivo e secundário. O sujeito considerou que é possível ler sem a ilustração, mas que a leitura se torna mais "fácil" quando a obra apresenta a imagem. Por vezes, respondeu de forma contraditória, e finalizou afirmando que gostou do livro, em especial da história, e reforçando que as ilustrações não eram importantes. Na prática, percebemos que sua leitura buscou informações prioritariamente na visualidade.

A entrevista com S4 foi realizada na biblioteca da escola. Estimulado a fazer uma previsão do que trataria a obra a partir da capa, afirmou que falaria de um rei. Leu todo o livro em voz baixa, até os dados da autora e da ilustradora: primeiro a palavra, depois olhou as figuras com atenção. Ao longo do texto avançou com pressa, focando a palavra. Caracterizou a ilustração como diferente de outras conhecidas: "Tem uns livros que eles são assim, têm só umas cores, e esse daqui, eu notei que ele tem várias cores juntas".

Concluída a leitura, afirmou: "Não gostei muito, porque tão destruindo a natureza", fazendo uma articulação com assunto tratado na escola. Entendeu a história em parte, não percebeu que o final é feliz. Dessa forma, a afirmação sobre a destruição da natureza é contraditória, pois, graças à coragem e à persistência da protagonista, a árvore, metonímia que remete à natureza, é preservada. A compreensão de S4 foi reduzida, detendo-se aos fatos iniciais sem correlacionar sua sequência.

A leitura de S5 foi silenciosa, olhava rapidamente a ilustração e deslocava-se ao verbal. Às vezes, espiava o desenho, se atendo às ilustrações mais coloridas. A exploração da obra iniciou pelo título, destacou a letra feita com linha e apontou onde ela aparece desenhada. O entrevistado classificou a história como engraçada, mas não conseguiu especificar o motivo.

Na leitura da capa, sugeriu que há um rei na história, por causa da coroa. A ilustração foi classificada como estranha e explicou: "O lenhador tá meio grande, sabe? Ele [capataz] tem a cabeça grande. Ele [barão] tem o tronco muito grande. Ele [visconde] tem a barriga muito grande". S5 ria e mostrava as personagens no livro. "Ele [conde] é roxo. E ele [marquês] tem o cabelo muito grande". Peculiaridades das ilustrações foram percebidas e relacionadas com outras obras: "Outros livros pintam a cara de um salmão, e aqui a cara dele tá roxa; aqui tem pelo; aqui, cabelo azul. Aí é meio estranho. Se não, fora isso, é legal".

O sujeito ressaltou o modo "estranho" de representar as árvores, "porque tão vermelha, roxa, as folha [*sic*] são rosa, o tronco também é roxo; aqui as árvores são amarela, rosa...", e atribuiu esse modo de ilustrar "ao jeito da pessoa que pintou". Dessa forma, intuitivamente, percebeu que subjazem ao modo de ilustrar determinados estilos. A forma diferente de representar o real conhecido é um aspecto negativo para esse leitor. Afirmou que a ilustração é dispensável na obra, rejeitando oralmente a visualidade, o que não se concretizou na prática. O estudante divertiu-se com as imagens, percebeu as inovações, mas posteriormente as tomou como um problema, um defeito, demonstrando ainda ignorar um aspecto inerente à natureza da arte: romper com os padrões e mesmo causar estranhamento. Também não percebeu o jogo verbal da proposta narrativa e afirmou que, se fosse reescrever a história, enrolaria menos, sem tanta repetição.

Limitações na leitura literária: a primazia da palavra e o tom pedagogizante

> *Cada um de nós vê o mundo com os olhos que tem, e os olhos veem o que querem, os olhos fazem a diversidade do mundo e fabricam as maravilhas, ainda que sejam de pedra, e altas proas, ainda que sejam de ilusão.*
> José Saramago

Os modos de ler uma obra estão relacionados às peculiaridades da experiência de leitura dos sujeitos que frequentam a mesma série e estudaram sempre na mesma escola. As crianças analisam e leem a obra como um todo (uma experiência verbal e visual). No entanto, quando questionadas, muitas vezes negam a importância da ilustração, revelando a hipótese de que apenas as palavras podem ser lidas. Essa crença emerge da cultura escolarizada e pertence, inicialmente, aos pais e professores, sendo transmitida às crianças. Ligada a isso, há dificuldade de as pessoas dialogarem com o texto artístico pela falta do exercício de leitura estética, pela qual a principal responsável na escola é a área de arte.

Embora a investigação comprove que a visualidade cumpre um papel no livro, muitas vezes os entrevistados desconsideraram aspectos da ilustração não referidos no texto verbal. Entre outros, os cenários não foram mencionados, mesmo auxiliando na composição da identidade das personagens; por caracterizarem o local onde eles vivem, como o explicitado em nossas análises da obra. Esses dados não emergiram durante as entrevistas, mas auxiliaram no entendimento da hierarquia que existe entre as personagens.

Outra ilustração ignorada pela maioria dos sujeitos foi a que representa o desfecho do conto. Ao serem questionados sobre o final da história, eles se limitam a afirmar que a árvore não foi cortada, ignorando aspectos da última imagem, que ocupa duas páginas e mostra uma festa. O desfecho visual foi citado apenas por um entre os cinco entrevistados. Essa constatação mostra a atribuição de prioridade ao texto verbal e denota a falta de familiaridade com a leitura de imagens, uma vez que o universo visual é tratado pelo leitor como mera decoração e não como parte integrante do livro, geradora de significação. Essa não leitura é consequência da adoção da hegemonia da palavra.

Por vezes, as crianças não significaram aspectos observados na ilustração que contribuiriam para a compreensão geral da narrativa. Outras vezes, elas nem chegaram a observá-los. Provavelmente isso reforça a hipótese acerca da importância que o meio escolar atribui à linguagem verbal. Poucos sujeitos percebem o livro como um todo, ignorando que a leitura ocorre pela interação entre todos os componentes do texto.

A atribuição de significados pelos entrevistados destaca que a prioridade do verbal está instalada e que há o desejo claro de atender ao tom didático da temática da leitura, como apoio ao conteúdo escolar. No caso, a valorização do meio ambiente é um tema presente nas salas de aula, mas é periférico no contexto do conto. Outras questões que servem de fio condutor para a narrativa, como a forma de lidar com o poder e de enfrentar conflitos e sentimentos, e as metáforas da insegurança e do medo não são percebidas pelos sujeitos. Esses entrevistados evidenciaram uma tendência a ler para aprender valores e normas de conduta, conhecimentos relacionados a conteúdos escolares, o que constitui um reflexo da concepção de literatura infantil como instrumento de ensino, disseminada amplamente em contextos que vão desde a família e a escola até a sociedade em geral.

Que instrumentalização a escola oferece para o aluno significar uma obra a partir da diversidade de linguagens? As respostas das crianças mostram o uso de alguns dos indicadores das imagens, na prática, e um silenciamento da escola em relação a tal questão. Diante disso, organizamos e aplicamos um roteiro de leitura para o conto em questão, a fim de estudar o processo de mediação de leitura literária e contribuir para a qualificação de professores na abordagem do texto literário. A proposta elaborada apoia-se em contribuições teóricas já apresentadas anteriormente e na metodologia de Saraiva (2001), explicada a seguir.

A proposta de mediação de leitura para Ah, cambaxirra, se eu pudesse...

Na elaboração do roteiro para a obra *Ah, cambaxirra, se eu pudesse...*, buscamos contemplar as especificidades do texto literário infantil (no qual a ilustração cumpre papel essencial) e permitir o diálogo do aluno com a obra, de modo que as vivências e as expectativas dos leitores pudessem ser contempladas nos vazios do texto. Dessa forma, constroem-se sentidos singulares para a obra, que podem ser compartilhados com o grupo, a fim de enriquecer a leitura e aproximar texto e leitor. Destacamos, neste roteiro, a construção das personagens e o modo de narrar próprio do conto cumulativo.

O processo de mediação de leitura deve ser uma ação intencional do professor. Assim, elegemos a orientação metodológica a partir de estudos de Juracy Saraiva (2001) para a proposta de roteiros de leitura. A metodologia pauta-se em três etapas para a abordagem do texto literário: atividade introdutória à recepção do texto, leitura compreensiva e interpretativa do texto e transferência e aplicação da leitura. Essa pesquisadora vale-se de estudos de Jauss, que concebe a literatura como uma expressão emancipatória capaz de alargar as vivências do leitor. Ainda, seguimos indicações de Antonio Candido (1995), que afirma que o ser humano tem direito à literatura e, nesse aspecto, precisamos escolher obras a que o estudante tenha o direito de conhecer, a fim de contribuir para sua humanização. Escolhemos, pois, obras que dialogam com a cultura popular.

Na primeira etapa, "Atividades introdutórias à recepção ao texto", geralmente são criadas situações em que os participantes podem, de alguma forma, antever o tema ou outro aspecto ligado à estrutura do gênero eleito, antes da leitura. A professora lança um questionamento ou apresenta um elemento que possa deflagrar algum sentimento, alguma inquietação a partir da qual as crianças começam a falar sobre o texto. Desse modo, o propósito da etapa inicial é criar uma atmosfera positiva para acolhida ao texto.

Na "Leitura compreensiva e interpretativa do texto", segunda etapa, os estudantes, de preferência, mantêm contato direto com o texto, manuseando o livro. Pela carência de impressos, muitas vezes, o professor realiza a leitura em voz alta e, depois disso, as crianças leem o texto sozinhas ou em grupos. Posteriormente, ocorre uma conversa mediada pelo professor sobre o texto, no intuito de juntos construírem sentidos para ele. Nessa etapa, é priorizado o estudo de peculiaridades do texto, que visa a instrumentalizar o estudante para a leitura literária.

Se, no primeiro momento do roteiro, a ideia é preparar-se para interagir com o texto, na segunda etapa, a intenção é estudar o texto preferencialmente de forma lúdica. Na terceira etapa, "Transferência e aplicação da leitura", são propostas ações que possibilitem à criança ultrapassar os limites textuais, relacionando-o com outras produções e também experimentando a escrita e outras formas de expressão. Aqui, o leitor é convidado a ir além dos limites do texto.

Embora a proposta de organização de roteiros siga esses três momentos, devemos respeitar a natureza de cada texto literário, de modo a enfatizar a proposta de humanização presente no texto. Assim, a elaboração do roteiro de leitura da narrativa considerou o referencial fornecido por Saraiva. Tal construção foi realizada pela equipe da pesquisa e, posteriormente, cada roteiro foi adequado a um grupo específico de estudantes de terceira série (quarto ano), buscando instrumentalizá-los para ler e perceber aspectos inerentes à narrativa, evidenciados pelos sistemas verbal e visual.

Caro leitor,

Agora, apresentamos uma proposta mediadora de leitura e sua aplicação...

Lembre-se, o foco de análise dos textos desta pesquisa refere-se ao processo de leitura a partir da interação entre palavra e visualidade. Buscamos, pois, os sentidos possíveis para a obra por meio da análise dos constituintes verbais e visuais do texto e das relações que *podem* ser estabelecidas entre esses códigos. Acreditamos, veja se você concorda conosco, que a interação entre palavra e imagem permeia toda a obra, pois pela interação de elementos constrói-se, por exemplo, a identidade das personagens, o cenário, a ação. O próprio desfecho do conto em questão é apresentado pela ilustração, que desempenha diversas funções nesse texto: descreve ou também confirma a palavra, contradiz, complementa e a amplia. Dessa forma, constatamos que as relações estabelecidas pelo leitor entre as linguagens verbal e visual possibilitam não apenas a compreensão da obra, mas também a ampliação de seus significados e o exercício de autoria vivido pelo leitor.

ROTEIRO DE LEITURA PARA *AH, CAMBAXIRRA, SE EU PUDESSE...*

ETAPA I – Atividades introdutórias à recepção do texto

O roteiro elaborado privilegia o conceito de transformação, bem como o estudo da protagonista e demais personagens e das relações que se estabelecem entre elas, já que o conflito e sua resolução surgem dessas relações.

Jogo Trilha

Material: tabuleiro com elementos da história que será contada: árvore, cambaxirra, conde, visconde, marquês, duque, imperador...; dado; pinos (um para cada jogador).

Participantes: 4 a 5 jogadores.

Como jogar: cada jogador deve lançar o dado e avançar, no tabuleiro, o número de casas sorteado. Ao parar sobre uma casa que possua imagens de janelas (⌀), o jogador deve abri-la e ler as informações a respeito de um aspecto da narrativa, em especial, sobre as personagens. O jogador deve observar também as ordens das casas em que parar (avance uma casa, fique uma rodada sem jogar, volte três casas...). Vence quem completar o caminho primeiro.

	21	22 visconde	23	24 imperador	(25)	CHEGADA
	20	19	(18)	17	16 duque
	(11)	12	13 conde	14	15
	10	(9)	8 marquês	7	6
INÍCIO	1 cambaxirra	2	3	4 árvore	(5)

Apresentação da obra e exploração de elementos da capa
- Perguntar o que chama a atenção dos alunos na capa.
- Questionar sobre cores, seres (Quais aparecem? Quais se repetem?), linhas, elementos de cenário, como árvores (É pos-

sível identificá-las por espécie, disposição espacial e configuração?). Chamar atenção para a presença do fio.
- Construir um significado para esses elementos e possíveis pistas sobre o conteúdo da história.
- Levantar, com o grupo, os contextualizadores da obra, como título, autor, ilustrador, editora, coleção.
- Discorrer brevemente sobre a autoria do livro, no campo verbal e no visual.

ETAPA II – Leitura compreensiva e interpretativa do texto

O professor lê o conto em voz alta para seus alunos, sem mostrar as imagens, a fim de não interferir na sequência narrativa.

Após essa leitura, os alunos agrupados leem a história com o livro em mãos, observando as imagens.

As atividades a seguir são realizadas oralmente e focalizam, em especial, a transformação da personagem.

1. Observar as ilustrações das p. 4 e 24.
    a) Descrever como a cambaxirra é apresentada visualmente.
    b) O que muda em cada imagem?
    c) O que poderia evidenciar essa mudança no modo como a cambaxirra é apresentada?

Observar o modo como a cambaxirra é ilustrada no decorrer da narrativa: expressão corporal, movimentos e cores utilizadas. Na ilustração da p. 4, esses elementos sugerem que o pássaro está agitado, em conformidade com o problema posto no início do conto: a possibilidade de derrubada da árvore onde construía seu ninho. Na p. 24, a representação visual mostra a personagem em uma postura altiva, como a ditar alguma regra ou ordem, mas calma, pois conseguiu salvar a árvore pela sua persistência.

2. Recontar a história com um novelo de linha (observar o modo como a narrativa se constrói, conto cumulativo).

Chamar alguns alunos para representarem a cambaxirra e as demais personagens. O novelo passa de mão em mão e cada personagem conta a parte que lhe compete. Os colegas podem ajudar na organização da sequência: lenhador, capataz, barão, visconde, conde, marquês, duque, imperador.

Num primeiro momento, o fio envolve cada personagem para que, após a ordem do imperador, seja feito o movimento contrário, ou seja, o fio seja retirado.

3. Após a atividade, questionar, oralmente, os estudantes:
    a) Como termina a história? Como é resolvido o problema da cambaxirra? Esse jeito de resolver o problema aparece em todas as histórias? O que é peculiar nesta narrativa?
    Aqui aparece a ideia de conto cumulativo. Falar sobre esse modo de narrar a partir das respostas dos alunos.
    b) Qual é a fala que se repete entre as personagens?
    Discutir o fato de essa fala também ser o título da narrativa e os sentidos surgidos a partir desse enunciado.
    c) Como as personagens humanas são representadas visualmente? Por quê?
    O professor pode explorar a forma caricatural de cada personagem e dos cenários. As imagens ajudam a entender onde se passa a história e a indumentária caracteriza as personagens. Considerar o nível e o vocabulário das crianças nessa conversa.

4. "Conversamos e descobrimos que a história da cambaxirra é escrita de um jeito diferente do adotado na maioria das outras histórias, principalmente, por causa das personagens e do modo como se resolve o problema. Ela é um *conto cumulativo*."
Explique o que essa história tem de especial, ou seja, de diferente em relação a outras histórias no que se refere ao modo como é contada.

5. A história que lemos é inventada. Será que ela mostra coisas que acontecem na vida real? Será que as pessoas podem se sentir como as personagens desse enredo? Será que as pessoas agem como as personagens?
Pense nessas perguntas e escreva o que a história da cambaxirra mostra sobre as pessoas e a vida fora dos livros.

ETAPA III – Transferência e aplicação da leitura

1. Inventar um problema e uma nova personagem para resolvê-lo, no lugar da cambaxirra.

2. Criar uma "desculpa" e três personagens que transferem a responsabilidade uma para a outra.

3. Dar uma solução.

4. Criar e encenar (ou escrever) um conto cumulativo para resolver esse problema.

5. Fazer que a história criada/encenada seja lida/assistida pelas crianças de outra turma de terceira série da escola.

Cada conto produzido pode ser inserido num livro da turma, o qual ficará disponível na biblioteca da escola. Os possíveis leitores são, pois, os estudantes da escola.

Testagem do roteiro de leitura: contexto, dinamização e reação das crianças

A aplicação do roteiro ocorreu em quatro encontros com duração aproximada de duas horas cada um, no mês de dezembro de 2007, em escola pública do município de Caxias do Sul, localizada em bairro constituído por famílias de operários de chão de fábrica. A testagem da proposta envolveu trinta alunos. A professora do grupo havia atuado na pesquisa, inclusive nas etapas de estudo da obra e de organização do roteiro de leitura, fator que lhe possibilitou fazer questionamentos além dos colocados neste. Duas bolsistas do projeto "Formação do leitor: o processo de mediação docente" acompanharam a aplicação, observando e registrando os encontros por escrito. Como material para análise e avaliação da aplicação, foram utilizadas: (a) as anotações da mediadora e das observadoras; (b) as respostas das crianças; e (c) as produções dos alunos realizadas na transferência e aplicação da leitura, num total de 27 fichas de registros e 22 textos. É importante explicitar que, em virtude do período de aplicação do roteiro (véspera de férias), alguns alunos não frequentavam mais as aulas, o que gera esse déficit no material coletado.

A seguir, descrevemos brevemente a aplicação das etapas do roteiro de leitura para *Ah, cambaxirra, se eu pudesse...* Como as atividades já foram mostradas, a descrição visa apenas a esclarecer o contexto de aplicação e as possíveis dúvidas sobre sua operacionalização.

Como motivação, o grupo de estudantes brincou de trilha, em grupos, percorrendo um caminho no qual estão dispostas personagens da história (ainda desconhecida pelos alunos) e informações sobre elas. Durante o jogo, as crianças conhecem essas personagens e leem fichas sobre elas. Após a motivação, realizou-se a apresentação da obra e a exploração da capa, por meio de questões orais dirigidas pela mediadora aos estudantes, estimulando-os a perceberem elementos visuais e textuais, a estabelecerem relações entre esses elementos e a elaborarem hipóteses acerca do conteúdo da obra. A seguir, a mediadora leu oralmente o conto e depois houve a releitura do texto pelos alunos, que, nesse momento, manusearam o livro e tiveram acesso também aos aspectos visuais da obra.

As atividades de exploração e significação do texto – leitura compreensiva e interpretativa – voltaram-se aos aspectos composicionais de destaque na obra, aliando-os ao conhecimento de mundo do leitor, previsto no texto por meio dos vazios. Dessa forma, estudou-se o modo de dizer a história e a atuação das personagens, por meio da inter-relação entre os códigos visual e linguístico, assim como do enredo e da transformação da protagonista.

A primeira atividade consistiu na descrição de representações visuais da cambaxirra, presentes nas páginas 4 e 24 do livro, e na comparação entre essas imagens. Dessa forma, a mediadora auxiliou na percepção do conflito, da ação da protagonista e sua transformação, como também das causas dessa transformação – elementos fundamentais no gênero *narrativa*. Ao auxiliar o leitor a significar esses constituintes, a mediação instrumentaliza-o para a leitura de outros textos do mesmo gênero.

A segunda atividade abrange o recontar a história e foi realizada pelos alunos, que representavam as personagens e encenavam suas participações no conto. Utilizou-se um novelo de linha para essa atividade. À medida que cada personagem surgia na narrativa, o fio passava de mão em mão, percorrendo o caminho contrário no momento da solução. Dessa forma, evidenciou-se a estrutura cumulativa do texto. Após a dinâmica, a mediadora questionou os estudantes, a fim de ajudá-los a perceberem essa característica do conto. Também foram investigadas, oralmente, ações e falas que se repetem, a fim de que as crianças atribuíssem sentido a esses elementos. Explorou-se, por exemplo, o significado da fala "Ah, cambaxirra, se eu pudesse..." e os motivos da omissão das personagens diante do pedido de ajuda do pássaro.

A terceira tarefa visava a identificar as características do conto, os desdobramentos do enredo e, mais especificamente, investigar as ilustrações. Os alunos foram questionados sobre a resolução do conflito, as características das imagens do livro (figuras representadas, forma de caracterizá-las, cores usadas) e os sentidos desses elementos. A seguir, propôs-se que as crianças, em grupos, caracterizassem as personagens e os cenários. Cada grupo se responsabilizou por uma personagem, e a mediadora distribuiu livros para consulta. Esse trabalho permitiu que os estudantes analisassem detalhadamente um dos constituintes da obra e compartilhassem suas descobertas com os colegas, na socialização do trabalho. A atividade consistiu na montagem de um painel com as produções, dispondo-as em forma ascendente na hierarquia de poder, de modo que o lenhador ocupasse a primeira posição, abaixo das outras personagens, o imperador estivesse no topo, e as demais personagens figurassem dispostas em ordem de aparecimento, na linha diagonal estabelecida entre lenhador e imperador. Assim, uma espécie de escada representou as diferentes posições ocupadas na hierarquia. Após a montagem, foram tecidos comentários sobre as diferenças e as semelhanças entre as personagens, sua hierarquia e seu medo. Os elementos do texto permitem essas significações, seja na ilustração, seja na narrativa verbal. Essa atividade permitiu aprofundar a análise sobre os elementos visuais, iniciada na atividade anterior, pois os alunos ampliaram sua percepção sobre a obra, a partir da observação atenta que a tarefa exigia.

A última etapa do roteiro envolveu a transferência e a aplicação da leitura. Nela propusemos a elaboração de um novo conto cumulativo, a partir dos seguintes passos: inventar um problema e uma nova personagem para resolvê-lo, no lugar da cambaxirra; criar uma desculpa e três personagens que transferem a responsabilidade uma para a outra; dar uma solução para essa situação. Essa produção podia ser escrita ou encenada e o grupo escolheu realizá-la por escrito. Essas produções seriam publicadas na forma de uma coletânea.

No primeiro encontro, durante a realização das atividades motivadoras (jogo com tabuleiro e ilustrações das personagens), as crianças estavam bem animadas com a possibilidade de jogar e ficavam apreensivas quando paravam em uma casa que continha alguma indicação de leitura. Alguns alunos leram e conversaram a respeito das personagens e de suas definições, ao passo que outros leram silenciosamente. Consideraram mais fácil reconhecer a cambaxirra, as árvores, o lenhador e o capataz. Ao tentar entender a atuação dessas personagens no enredo, lembraram, também, de personagens como o Visconde do Sítio do Picapau Amarelo, o Conde Drácula e o Duque de Caxias. Questionaram a mediadora sobre o significado de termos como "duque" e "conde". Mesmo tendo perguntado, é importante ressaltar que todos, de alguma forma, expressaram conhecer pessoas semelhantes às personagens, e as mais comuns e conhecidas eram o lenhador e o capataz. Durante o jogo, um aluno afirmou: "Capataz é fácil, cuida da fazenda!".

Ao propor a leitura da capa, a mediadora abriu o livro, mostrou capa e contracapa e indagou sobre o que é visto na capa. Um estudante respondeu que "na capa de trás tem as árvores iguais da fichinha, só que ao contrário". Destacamos dois aspectos nessa fala:

primeiro, a observação da contracapa, espaço, em geral, ignorado pelos leitores, e, segundo, a importância da atividade introdutória, em que as crianças observaram ilustrações do livro, o que permitiu a identificação das árvores na contracapa. Os sujeitos ainda justificaram a presença das árvores com o fato de que constituem o *habitat* dos pássaros.

Ao insistir na exploração dos elementos representados na capa, as crianças citaram o pássaro, o imperador e os "matos", e afirmaram que a cambaxirra precisa da natureza para viver. A mediadora tentou buscar com as crianças aspectos singulares na capa, mas elas ainda não conseguiram apontar.

A maioria dos alunos deteve-se nas ilustrações e não releu a narrativa verbal. Depois que as crianças observaram o livro, a mediadora questionou se haviam apreciado a história; algumas afirmaram que "acharam muito chata" e justificaram pelo fato de as personagens fazerem "sempre as mesmas coisas", de ser "sempre a mesma fala 'ah cambaxirra, se eu pudesse...'" ou porque esperavam que tivesse "mais coisa no final...", mas não especificaram o que seria isso. Tais depoimentos apontam a necessidade de mudança, esperada pelos sujeitos. Outras, no entanto, gostaram, pois "o imperador dizia que não tinha medo de nada, mas ele tinha medo de todo mundo junto", ou seja, ele também tinha medo de algo, não era tão valente.

Algumas crianças comentaram sobre a página 4, onde a cambaxirra se mostra preocupada, com medo de sua árvore ser cortada. Já na página 24, a protagonista aparece descansada, feliz. Um aluno apontou o tom escuro ao redor do pássaro, nessa mesma página. A partir desses comentários, a mediadora convidou os estudantes a compararem a cambaxirra representada nas páginas 4 e 24 em relação ao fundo e à postura da ave. A comparação reforçou as percepções dos alunos em relação à diferença de estado da protagonista no início e no final do conto e aos motivos dessa diferença, ou seja, aos fatos da narrativa que movimentaram o passarinho.

O reconto da história pela técnica do novelo foi mais uma estratégia de exploração do texto. Nessa etapa, as crianças se envolveram nas atividades e lembraram vários detalhes da narrativa. Divertiram-se, fazendo a dramatização. Durante a brincadeira, um aluno destacou: "Tem que falar que se tem medo".

A docente questionou os estudantes sobre o modo como é resolvido o problema da cambaxirra, e eles afirmaram que ela "vai pedindo para todo mundo ajudar ela, até que ela chega no imperador e ele tem medo de todo mundo junto e daí ele diz para não cortar a árvore". Como encontramos estratégias distintas para resolver um conflito, as crianças são mais uma vez indagadas acerca do modo como os conflitos são solucionados em outras histórias conhecidas.

Quando questionados se algo lhes chamava a atenção no modo como essa história é contada, um estudante apontou a "ordem crescente" e explicou: "O lenhador é o mais pobre e o menos poderoso e o imperador é o mais poderoso". Nesse momento, a mediadora explicou que é uma ordem relacionada ao poder; apresentou e discutiu o termo *hierarquia*, exemplificando: "O aluno obedece ao professor, o professor obedece ao diretor, o diretor obedece ao secretário de Educação". Também questionou sobre o fato de o imperador determinar o não corte da árvore em ordem decrescente e sobre a repetição da frase que dá título à obra. Um aluno lembrou: "Eu tinha um amigo que quando pedia pra eu brincar e emprestar a bola e eu dizia 'se eu pudesse, mas meu pai não deixa...'".

Aproveitando o comentário, a mediadora questionou a desculpa que permeia a postura de cada uma das personagens, que se negam a ajudar a cambaxirra. As crianças entenderam a resposta, justificando que todas as personagens tinham medo do seu superior. Mesmo quando indagadas se as personagens poderiam ter outra resposta para a cambaxirra, os sujeitos insistiram que isso não aconteceria, "porque eles tinham medo de quem mandava". A mediadora, então, questionou novamente: "E eles podiam dar outra resposta?", mas as crianças insistiram: "Não, porque um manda no outro...", o que demonstra certa passividade diante das situações de opressão.

O segundo encontro iniciou com mais uma leitura da obra; os alunos estavam bem atentos e, a cada expressão das personagens, repetiam com muita empolgação: "Ah, cambaxirra, se eu pudesse...". Nesse momento, queriam falar sobre o que estavam percebendo, como: "O lenhador é o mais forte e é o único que parece uma pessoa", "O conde é roxo", "Ela [ilustradora] desenhou mal. O lenhador é o mais tri, porque ele é mais humano que os outros, daí ela desenhou bem...". Ao ouvir essa posição, um colega replicou: "E os outros são o quê? Animais?", ao que alguém replicou: "Eles são seres humanos, mas são diferentes". As crianças comentaram ainda que "o lenhador deve ser pobre e os outros são ricos" e "e os ricos são feios, né?!". Frente à explosão de ideias, a mediadora questionou: "As pessoas não são assim de verdade?". Os alunos responderam: "Quando eles ficam reis, daí eles ficam esquisitos". Aqui surge uma discussão em torno de valores éticos e estéticos que poderiam ter sido mais explorados, pois abrangem conceitos relacionados a padrões culturais, estereótipos e discriminação social.

Os alunos demonstraram não gostar dos desenhos, pois para eles as ilustrações estão distorcidas, não condizem com o real. Ao mesmo tempo, constataram que as maiores diferenças entre o real e a ilustração estão ligadas às figuras de nobreza – o lenhador é pobre e parece mais "normal" do que as outras personagens, que são mais poderosas. A partir da realização dos exercícios propostos no roteiro de leitura, outras discussões surgiram. As crianças relacionaram que quanto mais poderosa é a personagem, mais feia parece, e a mediadora indagou o que tais pessoas "teriam por dentro", ou seja, quais seriam seus valores. Se por um lado as crianças diziam, no encontro anterior, que os humanos precisam respeitar o superior, agora afirmam que eles só sentem medo e têm riqueza, definindo-os como "caras de pau", porque não se importam com a cambaxirra. As crianças concluíram que todos têm medo do outro que é mais rico e poderoso, mas a cambaxirra só tem medo que os humanos cortem sua árvore. A protagonista não sente medo de quem tem mais poder, pelo contrário, "ela tem coragem, ela vai atrás do que ela quer, não fica parada com medinho...". A discussão encaminhou-se para o fato de fazermos escolhas na vida, até mesmo quando aparentemente nos deixamos levar pelo contexto.

Outro aspecto destacado na mediação foi a composição do cenário, no qual havia construções, como castelos, diferentes entre si, e as crianças identificaram peculiaridades de cada construção. Perceberam ainda a proporção ao afirmar, por exemplo: "O castelo desse aqui é maior porque ele é mais poderoso". Outro aluno contestou: "Eu não concordo! Porque esse tá desenhado mais perto", sinalizando a noção de perspectiva.

Quanto à caracterização das personagens, os alunos apontaram detalhes, como o fato de o conde estar com a mão na boca, parecendo ocultar o que diz ou comer unhas. O imperador, chamado pelas crianças de rei, "está na ponta do pé!".

Após a exploração oral, a turma foi dividida em oito grupos e cada um ficou responsável por uma personagem da história. A tarefa era representar as suas características, por meio de desenho, pintura, colagem ou escrita, observando a imagem do livro (os grupos receberam novamente livros para consulta). A turma ficou agitada, mas trabalhou bem. Pela avaliação realizada por escrito, no final da aplicação do roteiro, essa foi uma das atividades consideradas mais prazerosas pelas crianças. Alguns grupos se organizaram melhor e conseguiram avançar mais na proposta. Em geral, caracterizaram bem cada personagem, principalmente a fisionomia de medo e de incapacidade, que a ilustradora apresenta com detalhes particulares em cada uma delas.

No terceiro encontro, a mediadora procedeu à retomada dos desenhos e textos elaborados pelos grupos, destinando algum tempo para concluírem a atividade. Procuraram representar, nos desenhos, as características listadas e os detalhes de cada personagem por meio de gestos, cores e fisionomia. Durante a conversa, surgiram comentários como: "O marquês é mais feio! Tá aumentando o poder e a feiura", "O lenhador é o único que não é feio, que é normal". A partir dessas percepções, a mediadora fez um gráfico no quadro, mostrando de que forma se dá a relação entre as personagens – de baixo para cima: quem tem menos poder fica mais embaixo, quem tem mais poder fica mais acima – e indagou ainda se a riqueza e o poder são benéficos, ao que um aluno respondeu que não, porque "o rei, quando ele fala, parece que tá vomitando". O grupo concluiu que, na história, os poderosos são feios, medrosos e infelizes.

Após o diálogo, a turma montou o painel comparativo – cada grupo mostrou para os colegas a sua personagem e todos comentaram sobre as características percebidas. A seguir, foi organizada uma escada com o trabalho dos estudantes, que foi colada na parede do fundo da sala, começando pelo lenhador e subindo até o imperador.

Em síntese, no primeiro encontro, realizou-se a motivação, a leitura do texto e as duas primeiras atividades compreensivas – análise de ilustrações da cambaxirra e encenação do conto com o uso do novelo. No segundo, discutiu-se a representação gráfica das personagens e propôs-se sua representação em desenhos. No terceiro encontro, os alunos finalizaram a produção, organizaram o painel e discutiram os elementos representados na obra. O quarto encontro foi destinado à transferência de leitura, optando-se pela produção escrita do conto cumulativo, momento em que as produções das crianças foram recolhidas e analisadas pelos pesquisadores.

Indicadores da análise de aplicação do roteiro

Os registros da mediadora e das bolsistas-observadoras sinalizam o envolvimento das crianças nas tarefas propostas, percebendo os constituintes do texto e atribuindo sentido a eles. Os alunos constataram elementos da obra, tanto visuais quanto verbais, realizaram inferências e estabeleceram relações entre eles, como se observa nos comentários: "Ah, profe, são todos medrosos!", "Tá aumentando o poder e a feiura" (em relação às personagens); "Ela tem coragem, ela vai atrás do que ela quer, não fica parada com medinho..." (sobre a cambaxirra); "O rei, quando ele fala, parece que tá vomitando"; "O lenhador é o único que não é feio, que é normal". Os sujeitos identificaram facilmente o problema da narrativa, sua resolução e desfecho, a protagonista e as demais personagens, com seus respectivos papéis e características. Além disso, as crianças demonstraram interesse e prazer ao participar da proposta.

Em relação às atividades realizadas, de modo geral, as brincadeiras e os desenhos foram preferidos em relação às questões escritas ou ao debate oral. Os momentos de discussão são importantes, mas devem ser bem direcionados, a fim de não se perder o objetivo, e bem dosados, de modo a não cansar nem dispersar as crianças, cuja atenção está naturalmente mais voltada a propostas que envolvam o lúdico. Observamos que esse elemento é o que mais mobiliza o estudante, propiciando-lhe o desenvolvimento da percepção, da compreensão e da interpretação de textos. Pontuamos, a partir dessa experiência, que é importante adequar a natureza das atividades às características e às necessidades de cada grupo. Embora o roteiro siga determinadas ordem e quantidade de exercícios, mais importante do que segui-lo do início ao fim é adaptá-lo à proposta e ao grupo. Essa mudança é fundamental e deve ser feita até mesmo durante a aula, ao se perceber, por exemplo, que o aluno já compreendeu um tópico e não precisa fazer mais uma atividade sobre o assunto, embora ela esteja prevista no roteiro. Pode-se também acrescentar algo que enriqueça o processo. O professor, intuitivamente, sabe e faz essas adequações. Entretanto, em alguns casos, deixa de lado sua experiência e, generosamente, deposita demasiada confiança em pesquisadores. Por isso, pontuamos o caráter flexível do roteiro, que está a serviço da aprendizagem, do estudante e do professor.

Em relação aos textos produzidos na transferência de leitura, notamos que praticamente todos os contos elaborados contemplaram a estrutura cumulativa. Alguns ficaram bastante presos ao modelo estudado, mas boa parte se destacou pela criatividade. Novos finais e soluções foram criados, bem diversos do que os presentes no texto original. Houve desfechos em que a protagonista não obteve ajuda nem alcançou seu objetivo, como o "Chico que pediu ajuda a um pedreiro e a um carteiro para construir sua casa, mas não obteve e a fez sozinho". Em outras narrativas, a ideia da cambaxirra foi atualizada, propondo-se negociações entre as personagens, trazendo ganhos para todos. Esse é o caso do passarinho que tinha o ninho em uma árvore, mas foi surpreendido por uma menina que o retira, a mando da mãe, que cumpria ordens do marido. Ao buscar ajuda, o pássaro chega ao homem, que lhe propõe: "Tá bom, mas você tem que fazer uma coisa para mim. [...] É só você me acordar quando for 7h30 da manhã". O acordo é feito, e o ninho, preservado. Houve também histórias em que a solidariedade foi a responsável pelo final feliz. Exemplo dessa produção foi a história "Emanuelle", sobre uma garota cuja boneca sumiu e que passou a procurar o brinquedo de casa em casa, ouvindo negativas de todos (observe-se o acúmulo de personagens e a repetição de respostas) até encontrar a boneca com uma menina de rua e, generosamente, deixá-la com o mimo. Ao voltar para casa, a garota encontra, misteriosamente, muitas bonecas sobre a cama, as quais divide com crianças carentes. O desfecho mescla fantasia e realidade, próprias desse período da infância.

A criatividade também esteve presente na elaboração de hierarquias (filha, esposa e marido; técnico, vice-presidente, presidente de clube, por exemplo) e de desculpas para justificar a negação do pedido ("não tenho o que me pede", "estou ocupado", "tenho que ficar com meus filhotes que estão doentes", entre outras). Alguns alunos não utilizaram hierarquias tradicionais; no entanto, criaram relações entre pessoas ou animais que não estabelecem entre si laços de poder, mas que transferem responsabilidades. É o caso da menina que passeava de motocicleta com o pai: quando acaba a gasolina, eles peregrinam, de posto em posto, em busca do combustível, ouvindo de todos "desculpe, mas eu não tenho" e a indicação de outro posto. O conflito se resolve quando a garota toma as dores do pai e discute com o dono do terceiro posto, ameaçando-o de falar com o prefeito e conseguindo um pouco de combustível emprestado para voltar a sua casa. Uma terceira categoria na apresentação das personagens foi a utilização do acúmulo, mas não da transferência de responsabilidade entre as personagens. Esse é o caso, entre outros, do protagonista que recusa convites para passeio com a resposta: "Se eu pudesse, mas não posso. Minha mãe não deixa". Entretanto, ao encontrar uma menina que "era mais bonita", ele responde "claro" e vai até a casa dela, onde ganha um beijo no rosto. Nessa narrativa, observamos que há diversas personagens e uma desculpa, mas não a transferência de responsabilidade.

Destacamos, por fim, a presença do universo dos alunos nas narrativas produzidas. Como pudemos observar nas produções infantis, os contos cumulativos envolvem situações com amigos e pais, namoros, brincadeiras com bola ou boneca, entre outros. Pessoas admiradas, como jogadores de futebol famosos, apareceram como personagens. Algumas crianças chegaram a se incluir na narrativa como protagonistas, como o "namorador" e a menina que ajuda o pai a conseguir combustível e a voltar para casa.

Citamos ainda um elemento que chamou a atenção em uma das produções. Uma das alunas, embora tenha feito uma produção a partir da estrutura do conto cumulativo em termos de personagens, conflito e estrutura, elegeu como protagonista "uma árvore de tronco azul", em clara referência à "árvore de galho mais bonito da floresta". Nessa produção, a leitora atualizou um vazio da narrativa estudada, pois explicitou o que seria, para ela, a árvore mais bonita, talvez motivada pela ilustração.

Outra história produzida na etapa de transferência apresenta a estrutura do futebol, em que o jogador depende do técnico, que depende do presidente do time e assim por diante (Figura 28). Observamos que o estudante se apropriou do modo de contar presente no conto cumulativo estudado em aula.

Na atividade de leitura, pretendíamos proporcionar o diálogo do aluno com a obra, inserindo suas vivências e expectativas nos vazios do texto. Dessa forma, constroem-se sentidos singulares para o texto, que podem ser compartilhados com o grupo, a fim de enriquecer a leitura realizada e aproximar texto e leitor.

Os elementos presentes nas produções finais indicam que as atividades de compreensão e de interpretação atingiram seu objetivo, ou seja, auxiliaram o aluno a perceber os constituintes da narrativa, atribuir-lhes sentido e compreender o funcionamento do gênero em questão. As crianças foram capazes de "ir além" de dados referenciais, avaliando personagens e situações, e transpor as aprendizagens relativas ao texto original a novas situações, inserindo sua vivência e utilizando a imaginação.

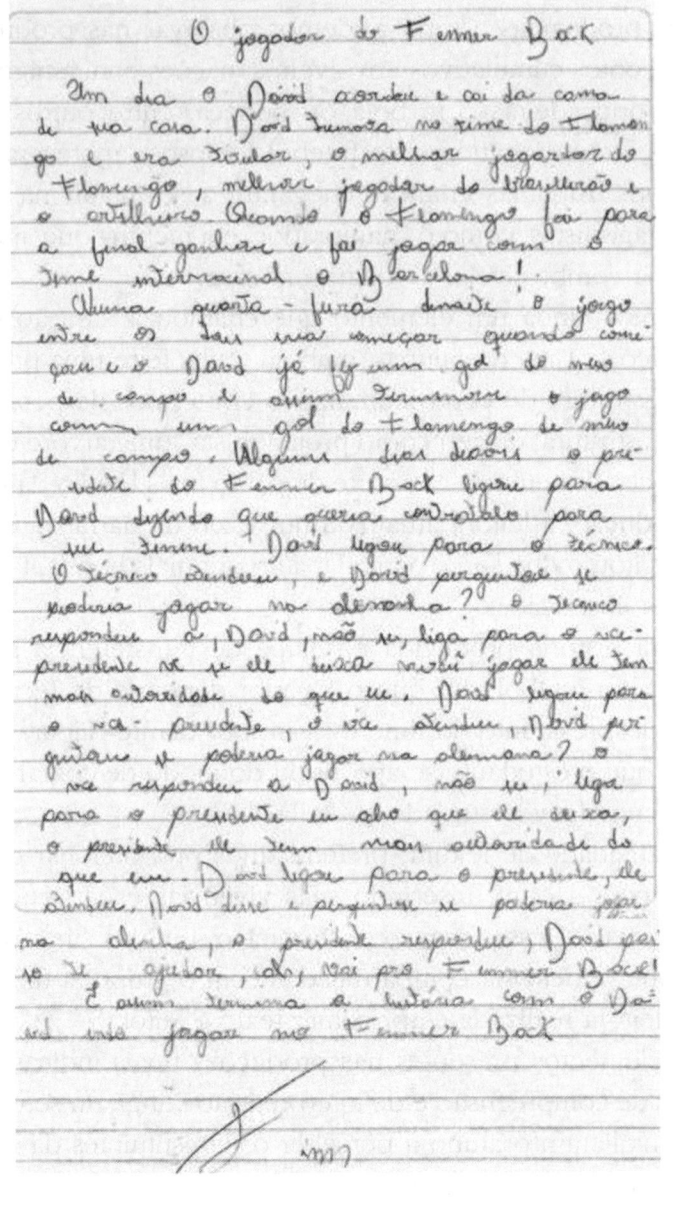

Figura 28 – Exemplo de narrativa elaborada individualmente na etapa de transferência e aplicação do roteiro de leitura do livro estudado.

Os contos elaborados pelos alunos indicaram também que, embora houvesse a preocupação de explorar a obra e atribuir-lhe significações adequadas a sua configuração, essa aparente "rigidez", no que se refere à leitura, não limitou a imaginação dos alunos. Pelo contrário, as crianças demonstraram grande potencial criativo quando solicitadas a produzir, aliando fantasia à compreensão dos conceitos desenvolvidos ao longo da exploração do texto. É importante considerar que, embora polissêmica, a leitura literária não é um campo totalmente aberto: ela respeita os limites do texto. Aceitar qualquer sentido atribuído pelo aluno à narrativa seria enganá-lo e não prepará-lo para ser proficiente na leitura dessa modalidade textual.

Pelos resultados da aplicação desse roteiro, podemos afirmar que a proposta metodológica adotada é relevante e eficaz e que a leitura orientada contribui para a formação de um leitor mais perspicaz em notar as sutilezas da literatura. Observamos envolvimento dos alunos na atribuição de sentido aos constituintes do texto, bem como aprendizagem de conceitos e desenvolvimento de habilidades fundamentais à leitura literária.

Caro leitor,

De um conto popular com estrutura cumulativa, *Ah, cambaxirra, se eu pudesse...*, recontado por Ana Maria Machado, passamos para outro conto, *Indo não sei aonde buscar não sei o quê*, de Angela Lago. Na primeira narrativa, a autora reescreve uma história oral; já a autora do segundo conto vale-se de elementos da tradição e compõe uma narrativa autoral, ou seja, cria um enredo original.

EM CENA O BOBO, A PRINCESA, A CORTE E O DIABO NA LEITURA VERBO-VISUAL

> *[Ler também] significa, em parte, aprender a lidar com o que não é expresso.*
> David Olson

Olhando o objeto pela capa

Indo não sei aonde buscar não sei o quê, de Angela Lago, tem formato quase quadrado (21 cm de largura × 20 cm de altura) e sua capa lembra um invólucro que guarda algo precioso. A capa já significa, orientando a percepção do leitor. O título surge emoldurado por uma superfície em vermelho escuro, que aparentemente embrulha, envolve algo, e a cor se repete nas guardas do livro. Esse matiz é rompido pela etiqueta branca, centralizada, que contém o nome da autora-ilustradora, o título e o logotipo da editora. As letras iniciais de cada palavra do título estão no mesmo vermelho da "moldura", assim como o logotipo da editora, ao pé da etiqueta, em posição vertical.

O contato com o título oferece dados imprecisos que podem confundir o leitor, porque não informa quem é a protagonista nem orienta sobre seu destino. A ilustração, posicionada ao alto e no centro, antecede o título no percurso de leitura e mostra uma personagem vestida com roupa vermelha, carregando uma trouxa nas costas e andando por uma trilha entre montanhas pontiagudas. Além disso, a trilha não apresenta um ponto de chegada; pelo contrário, há subdivisões na estrada, lembrando labirintos ou encruzilhadas presentes em histórias clássicas, como "Chapeuzinho Vermelho" e "João e Maria". A ilustração sugere que a personagem dirige-se a um lugar indefinido e, além disso, a presença de uma curva em aclive sugere mudança de rumo e busca de ascensão. A indicação de subida, pelo cenário acidentado, sinaliza que o trajeto é íngreme e apresenta dificuldades.

Palavra e visualidade indicam um mesmo conteúdo: a incerteza. É provável que esse sujeito realize um percurso impreciso na busca de um objeto vago, que também estará em espaço desconhecido, que ele vá não sei aonde buscar não sei o quê, como anuncia o título.

O vermelho, que predomina na capa e se repete no miolo do livro, é o valor cromático que aproxima os elementos do espaço, da protagonista e do título, criando recorrências e articulações de sentido. Assim, estabelece-se uma ligação entre dados da capa e da história por meio da cor, que sugere a inter-relação entre as linguagens na construção e na recepção da obra.

A ausência de dados pontuais sobre a história, assim como a disposição dos elementos na capa, provoca o leitor, que, mediado por seu universo cultural, social e cognitivo, pode criar hipóteses sobre a trama e atualizar o texto. A presença da trouxa, por exemplo, é emblemática, pois faz referência a uma possível característica da personagem: um sujeito reconhecido na narrativa como ingênuo e crédulo, que é levado a um fazer sem ter consciência de sua condição de manipulado. Tais dados apontam para uma personagem com tendências a desempenhar o papel de bobo, de *trouxa*. Essa figuração relaciona-se aos demais constituintes da capa, participando da elaboração de suposições sobre a narrativa. Durante a leitura da história, as hipóteses serão confirmadas ou refutadas.

O fato de os elementos da capa, à primeira vista, oferecerem informações vagas sobre o conteúdo da narrativa pode instigar a curiosidade do leitor, pois eles propõem um assunto, no mínimo, curioso: ir a lugar incerto buscar algo indefinido. É apenas durante a leitura do conto que o leitor poderá relacionar os constituintes da capa aos dados da história, compreendendo o sentido das pistas oferecidas.

Ingressando na narrativa

Ao adentrar no universo do livro, o leitor poderá confrontar as hipóteses elaboradas a partir dos elementos da capa com o conteúdo da obra, confirmando-as, rejeitando-as ou ressignificando-as. Já na primeira página, a personagem da capa é apresentada como protagonista do conto, tanto figurativamente – à esquerda, posicionada na vertical – quanto no texto escrito, à direita. É um ser cujas gestualidade e expressão remetem à timidez e à insegurança, e isso se confirma pela linguagem verbal, que o descreve como "um menino muito zonzo". O fundo vermelho e a roupa na mesma cor criam um efeito de apagamento de identidade, o que é reforçado pelo reduzido espaço ocupado pela figura na página. Há uma confirmação desses aspectos nas duas páginas seguintes, por meio da apresentação da princesa. Ela ocupa todo o espaço à direita, é maior que Seinão,[6] destacando-se do fundo vermelho por seu vestido branco, cabelo loiro e gestualidade impositiva. O espaço é seccionado: à esquerda, onde está Seinão, que aparece na mesma postura anterior, é reduzido, e à direita expande-se para abrigar a princesa. Esse dimensionamento reflete a postura dos dois atores: enquanto Seinão mantém-se contido e inseguro, a princesa assume o domínio da cena, o que também é referido pela palavra: "Caso com Seinão, se ele for a não sei onde e buscar não sei o quê – ela anunciou diante da corte inteira." (LAGO, 2000, p. 6).

Figura 29 – Observe as diferenças de gestualidade expressiva entre as personagens (*Indo não sei aonde buscar não sei o quê*, Angela Lago, 2000, p. 6 e 7).

---

6   O protagonista é nomeado Seinão por causa do hábito de responder sempre: "Sei não...". A postura do menino aponta para uma indefinição diante dos questionamentos vividos.

A história inicia com o afastamento do herói, que sai em busca de um objeto mágico, o qual lhe permitiria conquistar a princesa. Seinão parte à revelia das demais personagens, que não acreditam no cumprimento da tarefa. Enfrenta provas, desafia a corte, faz um estágio com o capeta e volta modificado. Inicialmente, era alvo de deboche da princesa e da corte, mas, alcançando o objeto de valor, o embrulho, passa a ser respeitado e admirado por todos, até pela princesa.

O percurso narrativo em que o protagonista afasta-se de casa e regressa amadurecido é um traço do conto popular (PROPP, 1984). O texto de Angela Lago mantém outros elementos das narrativas populares. A história ocorre em tempo e espaço distantes, e as personagens pertencem à realeza. Seinão assume o papel de bobo da corte, submetendo-se aos caprichos do poder soberano; é alvo de chacota da corte e do povo ao demonstrar sua ingenuidade e credulidade diante da voz da princesa, que aqui pode representar o poder.

Simultaneamente, há um deslocamento temporal para a contemporaneidade, percebido pela figuração do computador e pelo emprego de termos da linguagem da informática, como "atualização de arquivos e pastas" (LAGO, 2000, p. 17). Os padrões da tecnologia e da modernidade são meios de atualização do diabo, evidenciados tanto pela palavra quanto pela ilustração. Além disso, a imagem ironiza a figura do capeta, ao mostrá-lo de modo peculiar, contradizendo o senso comum. Ele não é malvado, gosta de música, é moderno e até um pouco ingênuo – Seinão o engana. Essa representação lembra a atitude de quem tenta se passar por malandro, esperto, tipo bastante conhecido em nossa cultura. O conto retoma esse aspecto presente nos contos tradicionais e o atualiza.

O esquema narrativo é caracterizado pelo protagonista Seinão, que deixa o lugar de origem e aventura-se em provas difíceis. Sua tarefa é conquistar o objeto mágico – o embrulho cujo conteúdo não é revelado – para, no final, alcançar a realização plena, o amor e o respeito da princesa. Tal objeto oferece possibilidades de conter surpresas, revelações, e responde pela sorte do herói. O povo e a corte revezam-se na tentativa de ludibriar Seinão, exercendo o papel de antagonistas. Quando o protagonista questiona a respeito de indicações sobre a "estrada para ir a não sei onde", é menosprezado pelas risadas da corte e com a indicação do caminho para o inferno. Entretanto, ao mandar Seinão para o inferno, os opositores atuam também como coadjuvantes, pois acabam oferecendo auxílio espontâneo ao herói para o seu encontro com o diabo e para o desfecho da história.

O texto segue o esquema narrativo tradicional anunciado por Propp (1984). Essa sequência de ações torna-o mais legível ao público infantil, pois, ao apresentar uma estrutura conhecida dos leitores, contribui para a compreensão e, consequentemente, para a aceitação do conto. Há um diálogo entre o horizonte do texto e o horizonte do público mirim.

Além dos elementos tradicionais, a ilustração e a palavra se fundem na narrativa. A significação não surge apenas pela decifração da escrita, mas também pelas articulações entre as linguagens verbal e visual, que incluem projeto gráfico e/ou contexto em sistemas próprios do texto e inter-relacionados no conteúdo. Na atualização textual, o leitor constrói conexões entre as linguagens e atribui-lhes sentido.

O fragmento da narrativa "Era uma vez um menino muito zonzo. Vira e mexe, ele vinha com a mesma resposta: – Sei não..." (LAGO, 2000, p. 5) pode ser concretizado de modos distintos, filtrando-se dados a partir de sua imersão no contexto vivencial. Se, porém, esse enunciado estiver em determinado livro, muitas são as modificações a que a significação da palavra é submetida quando esta é acompanhada por determinada visualidade, como no caso da figuração de um menino acanhado, com suas mãos cruzadas sobre a cintura, situado na margem esquerda da página e circunscrito por um espaço vermelho que o emoldura. Logo, o mesmo enunciado verbal, ao relacionar-se com a imagem com que compartilha o suporte livro, tem um direcionamento peculiar na constituição do sentido, engendrando também um provável leitor e determinando um fazer interpretativo. Assim, a trouxa visualizada na capa, a descrição do protagonista e a postura da princesa com seu braço estendido e dedo apontado articulam-se para constituir o fazer persuasivo do sujeito--herói, contribuindo para a compreensão pelo leitor real.

Oposições fundamentais estão presentes na narrativa, mostradas nos estados das personagens: atitude servil *versus* atitude impositiva, ingenuidade *versus* malícia. No desenrolar da narrativa ocorrem transformações de estado, provocadas pela *performance* do herói, que cumpre sua tarefa e retorna bem-sucedido. A ilustração da última página (Figura 30) apresenta a personagem ao centro, segurando o embrulho, misterioso objeto de valor. A princesa, antes dominadora e maliciosa, aparece sorridente, às costas de Seinão, beijando-lhe a face. Agora, o protagonista tem uma aparência de quem superou o estado inicial de não saber, pois seu sorriso demonstra autonomia e segurança, abandonando a ingenuidade ou o acanhamento anterior. A palavra também confirma o sucesso alcançado. A ilustração, no entanto, mostra muito mais do que a frase, que apenas conclui: "Pois é: Seinão está muito bem casado e o embrulho segue embrulhado!" (p. 28).

Figura 30 – Ilustração do desfecho da história
(*Indo não sei aonde buscar não sei o quê*, p. 28).

A tradição popular interfere no enredo. A presença do diabo e a troca entre o menino e o capeta sinalizam o desafio a regras vigentes e a certas concepções sociais. Muitas narrativas da tradição oral também exploram pactos com o diabo, que, como nesse caso, é enganado pelo ser humano. Além disso, notamos uma preocupação da obra em ampliar essa perspectiva e questionar conceitos socialmente determinados e acolhidos. Isso fica claro na forma como é colocada a figura do diabo, um ser trapaceiro que, no entanto, também pode ser enganado, inclusive pelo (ex-)zonzo Seinão. A história sugere que nem sempre as coisas são como pensamos a partir do que falam delas ou de nossos palpites. Para conhecer, é preciso experimentar, conviver, interagir, andar, andar, andar... A busca e o crescimento por meio da ação e da experiência são reforçados e confirmados pela trajetória de Seinão. E a princesa, que no início da história se mostra sabida e fica no castelo com outros membros da corte, acaba se rendendo à esperteza do protagonista, assim como todos aqueles que haviam zombado dele. Cresce quem sai do espaço conhecido e luta por seus ideais.

Notamos também a subversão a padrões convencionais de representação. Embora a narrativa apresente elementos tradicionais, que dialogam com os contos populares e os contos de fada – citamos estrutura, personagens, tempo e espaço, entre outros, já analisados –, esses elementos não são representados de forma convencional. O protagonista é um menino inseguro e ingênuo, tido como bobo. A princesa por quem ele se apaixona é autoritária e debochada, como toda a corte. O ajudante do protagonista é o diabo, que gosta de boa vida e não faz maldade alguma na história, pelo contrário, dá a Seinão o objeto que lhe permite casar-se com a princesa. A encomenda recebida pelo menino é "não sei o quê", nas palavras de Seinão, "qualquer bobagem embrulhada" (ibidem, p. 21). A própria ilustração não obedece a padrões infantilizados, uma vez que adota características de pintura expressionista, em que predominam manchas e borrões, sem definição de linhas de contorno. Tais elementos mostram o caráter inovador da obra, que configura uma nova representação do tradicional, sinalizando seu cunho emancipatório.

Possível atuação do leitor no texto

Após a exposição de alguns elementos do processo narrativo na obra, a partir da interação de sistemas que a constituem, passamos a enfocar o leitor na construção do sentido do texto, por meio da figura do leitor implícito, ou seja, aquele leitor previsto no texto.

Lembramos que a expressão foi criada por Wolfgang Iser (1996), que o define como o interlocutor presente na estrutura textual e não um sujeito de carne e osso. Para o teórico, o leitor se configura a partir da estrutura textual. Ou seja, o texto é escrito de tal forma que prevê a atuação do leitor na construção de seu sentido. Iser afirma que o texto emprega determinados recursos como vazio, tema, horizonte e negação, os quais atuam na configuração do leitor implícito.

Simplificando, a narrativa, por exemplo, não é um contínuo que releva tudo sobre a vida de uma personagem. Pelo contrário, na ficção há uma quebra no contínuo que é o viver, e o narrador mostra alguns aspectos e ações, omitindo outros, intencionalmente. Entre o que é mostrado e o que é silenciado surgem os vazios, os não ditos, nascidos das ausências ou quebras de informação inerentes à história; trata-se de lacunas que serão preenchidas pelas vivências do leitor real.[7] Embora Iser tenha situado esses conceitos no âmbito da palavra, neste momento tentamos olhar o livro infantil, constituído também pela ilustração, a partir dos pressupostos do teórico alemão.

Além dos vazios, o autor apresenta os conceitos de *tema* e de *horizonte* inter-relacionados. Entende por *tema* o foco em uma parte do texto e por *horizonte* aquele conjunto de dados que se formou e permaneceu após o surgimento de outro tema. Por sua vez, a *negação* aparece porque o texto, em especial o literário, oferece pistas que não se concretizam, e o leitor precisa ajustá-las ou rejeitá-las no processo de significação, isto é, os dados oferecidos podem ser negados à medida que o texto vai se desenvolvendo. Na primeira página da história verbal, por exemplo, lemos:

> Era uma vez um menino muito zonzo. Vira e mexe, ele vinha com a mesma resposta:
> – Sei não...
> Pois Seinão ficou sendo seu apelido. (LAGO, 2000, p. 5)

---

[7] O repertório do leitor é formado por elementos linguísticos, cognitivos, sociais e culturais, entre outros.

O foco está na personagem, caracterizada como um menino zonzo, cuja identidade é ainda desconhecida. O primeiro tema, nesse caso, é o menino, que se transforma em horizonte quando a conduta que nomeia a protagonista – seu apelido Seinão – passa a ser o novo tema. Em seguida, o tema é o modo como ele é identificado, e sua conduta, já revelada, passa a ser o horizonte, ou seja, o pano de fundo em que ele é percebido.

Na página seguinte, o leitor se depara com outro quadro, cujo fio narrativo é mantido apenas pela presença da personagem. Todos os dados anteriores tornam-se, pois, o horizonte, e o tema é a mudança de estado da protagonista pela inserção de outra personagem. Entra em cena uma princesa, o novo tema, que ainda sugere o diálogo da narrativa com contos de fadas. Aqui se inicia o conflito: o menino zonzo apaixona-se justamente por uma princesa autoritária que gosta de debochar das pessoas. A jovem impõe um desafio ao seu pretendente: "Caso com Seinão, se ele for a não sei onde e buscar não sei o quê." (ibidem, p. 6). Ao lançar esse enigma, a personagem confirma o discurso do narrador a seu respeito: "uma princesa muito sabida, que adorava fazer piada à custa dos outros" (ibidem, p. 6). Além de propor o impossível a Seinão, ela brinca com o nome do menino, formado pelos vocábulos "sei" e "não", que se repetem em sua fala.

A posição autoritária da jovem, cuja mão aponta para a direita do leitor, indica a direção a ser seguida na busca do objeto mágico, o que pode ser interpretado como atribuição de certa especificidade ao "não sei onde" da proposta da princesa. Através da visualidade, também o leitor é convidado a avançar no livro e a acompanhar a jornada de Seinão, com ele alcançando – ou não – o objetivo da busca. Ao relacionar o título, o discurso da personagem e a representação da princesa, o leitor pode ficar confuso, porque o tal lugar situa-se à frente, embora o título indique que a localização é incerta e talvez mude constantemente. Se essa hipótese sobre a narrativa não se concretizar ao longo da leitura, será configurada como uma negação.

Até esse momento, Seinão está passivo de acordo com os dois códigos. Novamente a ilustração o representa em um terço da página, repetindo a imagem anterior, porém deslocando-a – antes ela antecedia a palavra e agora a sucede. Na primeira cena, ele olhava para a esquerda, ou seja, para o que vinha antes da narração da história, para o passado. No próximo par de páginas (Figura 29), a ilustração é repetida, mas de forma espelhada, e a posição dos olhos altera-se em relação ao texto verbal: o menino volta-se para o que está por vir, mais especificamente, para a princesa, e possivelmente para o caminho que ela aponta.

Seinão continua discreto, embora seu olhar já prenuncie que poderá agir. Quem rouba a cena nesse par de páginas é a princesa: traja um longo vestido branco, tem gesto autoritário, mantém a boca muito aberta, ocupa a totalidade da página ímpar e aponta a Seinão o caminho a ser seguido. O leitor atribui sentido à oposição evidenciada visualmente pelas duas personagens: ele tímido, ela expansiva; ele com mãos fechadas, ela apontando o caminho; ele calado, ela falando/rindo/gritando; ele com pernas à mostra, ela com um longo vestido que lhe cobre até os pés. A cor das vestes de ambos estabelece uma oposição: ele traja vermelho, enquanto ela está de branco. O vestido branco já pode ser visto como um índice que prenuncia o casamento.

Retomando os conceitos de tema e de horizonte, podemos afirmar que no primeiro quadro Seinão era o tema, ao passo que no segundo quem ocupa tal posição é a princesa. No terceiro quadro, o protagonista desaparece e torna-se, literalmente, o horizonte, uma vez que a ilustração o ignora e apenas a palavra o menciona, superficialmente e de modo pejorativo: "O zonzo do Seinão acreditou e foi!" (ibidem, p. 9). A ilustração ainda mostra a princesa em posição de deboche, mas ao fundo e de forma sutil. O foco agora é a corte que caçoa do bobo, configurando-se como tema. Em relação à negação, o leitor pode supor que Seinão não conseguirá trazer o objeto desejado, uma vez que é retratado como um bobo. Entretanto, esse sentido construído tende a ser rejeitado, já que ele se torna o herói. Dessa forma, ocorre a negação, citada por Iser como elemento estrutural que prevê a atuação do leitor, uma vez que as sugestões dadas pelo texto não se concretizam.

No quadro seguinte, o herói volta a ser o tema da imagem, repetindo-se a cena da capa. Nesse momento, a ilustração mostra o protagonista em ação: ele caminha a passos largos, independentemente da gozação dos que o observam pelas costas ou da incerteza revelada pela palavra: "Enquanto isso, Seinão andava, sem saber por onde andava. Pois se perguntava o caminho – a estrada para ir a não sei onde – caíam na risada ou mandavam ele ir para o inferno." (ibidem, p. 10). Aqui, há equivalência entre "não sei onde" e "inferno". Enquanto todos mostram os dentes brancos, gargalhando do bobo, o protagonista persiste pelo terreno íngreme. Mesmo com a boca fechada, está em movimento. No quadro seguinte, Seinão continua tomando conta do cenário e mantém-se como tema da narrativa, pois realiza, em parte, sua tarefa e chega ao inferno. O protagonista só se torna sujeito da história ao encontrar o diabo e olhá-lo de frente, ou seja, Seinão deixa de ser passivo apenas no momento em que enfrenta o desconhecido, o inominado.

O desafio da princesa, a corte, o caminho e o capeta, aparentemente, são obstáculos para o menino. O capeta é representado visualmente como uma barreira ao protagonista na cena em que se encontram. Contudo, a aproximação é tranquila e ocorre por meio da conversação, contrariando as possíveis expectativas do leitor – lembre-se do conceito de negação. O protagonista olha para o diabo, que se curva em direção a ele, com um sorriso sorrateiro: havia encontrado um ajudante. O menino negocia com o diabo o pedido da princesa, trocando o cumprimento de tarefas pela encomenda da moça. Parte do desafio já fora realizado, pois ele chegou a "não sei onde", que agora é um lugar determinado, mesmo que seja o inferno.

Os membros da corte desaparecem e atuam como horizonte na memória do leitor. O foco da trama centra-se no capeta e no protagonista que, visualmente, se apresentam em oposição: capeta descansa, Seinão trabalha; capeta toca viola, Seinão usa o computador; capeta está com pernas para o alto, Seinão com pernas para baixo; capeta canta, Seinão pensa. A congruência dos dados da escrita e da ilustração homologa novamente a situação de oposição, anteriormente evidenciada pela "luta" entre o bobo e a corte, entre o protagonista e a princesa.

O capeta descansa e adormece, ao contrário de Seinão, que continua trabalhando no computador, conforme a ilustração. A persistência do protagonista possibilita a obtenção do objeto mágico e o casamento com a princesa. A visualidade ainda mostra, a partir das páginas 16 e 17, a inversão de posição entre o protagonista e o diabo. Seinão, que estava inicialmente do lado esquerdo da ilustração, passa a ocupar a direita. Nessa disposição, enquanto o capeta dorme, o menino trabalha, num processo de aprendizado que culmina em sua nova conduta depois de ter vivido no inferno. Assim, o diabo "fica para trás", enquanto o protagonista, com o embrulho na mão, toma a dianteira para alcançar a princesa. O sentido de "ficar para trás" ou "ficar à esquerda" ultrapassa a relação espacial e remete à troca de papéis entre as personagens. Seinão, antes considerado bobo, alvo de deboche, é alguém que sabe – engana o diabo, consegue o "impossível", desafia a princesa, a corte, o povo e conquista o respeito e o amor da moça. Por outro lado, o diabo, que pretendia "enrolar" o menino, ao oferecer-lhe um trabalho que "não acaba nunca" (ibidem, p. 20), é enganado: "Bem, antes que o diabo descobrisse que ele também tinha aprontado uma embrulhada com os tais arquivos... Pernas pra que te quero!" (ibidem, p. 23). Seinão sai do anonimato e é reconhecido como herói por seus oponentes no momento em que se constitui como sujeito, portador de uma identidade, o que acontece após ter realizado um estágio como ajudante do diabo.

O receptor do texto, ao interagir com esses quadros constituídos pelas duas linguagens, realiza articulações entre elas e entre os dados sugeridos. Os códigos mostram alguns aspectos de uma cena, e o leitor, ao preencher as lacunas do texto com suas experiências, atua como sujeito dinâmico que potencializa o material, interagindo com estruturas como tema, horizonte, vazio e negação, como apontado por Iser (1996). A aplicação desses conceitos foi exemplificada pela análise de alguns momentos da obra *Indo não sei aonde buscar não sei o quê*, evidenciando que palavra e ilustração se unem no processo de produção de sentido.

O leitor constrói significados para o texto a partir do jogo inerente à estrutura apresentada pela interação entre as duas linguagens, preenche vazios e resolve negações postas pelos códigos. Ou seja, ao significar o texto pela apropriação dos códigos, o leitor atua como sujeito do texto. Assim, a narrativa não inicia com o texto verbal na terceira página do livro (até porque nessa página a ilustração antecipa a palavra), nem é concluída com a palavra na última página, onde são fornecidos dados do enredo. Este é formado também por elementos paratextuais, presentes na capa, na contracapa e na diagramação, entre outros.

Pensando que o sentido mora no leitor, a obra pode ser lida como uma metáfora da leitura. A imagem mostrada na capa, o título e a narrativa verbal podem sinalizar o ato de ler, pois o leitor, ao interagir com um texto, não sabe o que vai encontrar. O protagonista sai do seu lugar e de si mesmo, vai ao encontro do desconhecido e, ao concluir a tarefa, volta com "não sei o quê", que não pode ser desembrulhado por ninguém: "o embrulho segue bem embrulhado". Outros aspectos apontados nessa narrativa mimetizam o ato de leitura: Seinão e a princesa simbolizariam, respectivamente, o leitor e a obra literária, aquele em princípio tímido e pequeno diante das potencialidades do texto. E a princesa aponta, assim como o narrador, em princípio, o caminho a ser seguido. Dependendo da natureza do texto, efetivamos o pacto a ser realizado com o leitor. O meio circundante, representado pelos membros da corte, caçoa do leitor e duvida de que a tarefa seja cumprida com êxito: "o zonzo do Seinão acreditou e foi!" (LAGO, 2000, p. 9). O leitor pode ser esse bobo que sai sem saber aonde vai chegar, que tem de seguir e superar as trapaças do texto. No processo de interação, o leitor se perde, pode até se afastar de algumas indicações do texto, pede auxílio a elementos externos, que podem ou não ajudá-lo. E, nesse andar ou ler, o leitor sai do texto, desloca seu olhar e chega a algum lugar, ou seja, vive uma odisseia e precisa voltar para casa, que pode significar voltar para si. A construção do sentido é entendida como um objeto mágico, o passaporte que lhe tira da condição de zonzo, ignorante, e o insere no âmbito daqueles que podem conquistar a princesa – conquistar o inacessível. A leitura possibilita ir "a não sei onde" e também "buscar não sei o quê". O "não sei o quê" é o sentido que o leitor configura e que pode ser guardado como uma produção singular, a que outros têm ou não acesso. Nesse caso, ninguém pode saber. Também é incerto porque se constrói na relação estabelecida entre texto e leitor.

Pensando a obra como metáfora da leitura, observamos que a princesa, que simboliza o livro, ou mesmo o narrador, abandona sua postura autoritária do início e se curva ao leitor, conforme se constata na última ilustração. A obra se volta para o leitor, torna-se o pano de fundo da cena de leitura, já que o texto é também construído pelo leitor.

No que se refere ao fechamento da obra, vale ressaltar que a narrativa se encerra com ilustração e palavra e que esses dois códigos devem ser lidos. A ilustração final é repetida duas vezes – aparece também em tamanho menor, na última página, onde está a ficha catalográfica, quase como se fosse um ponto-final da história. As imagens estão em posição antagônica: a primeira aponta para a esquerda, ou seja, para o já vivido, a memória, e a segunda aponta para a direita, para o que está por vir, a partir dos dados fornecidos pela experiência da leitura. O jogo de olhar para trás e para a frente, anunciado pela ilustração de Seinão no início do livro, agora é repetido, mas o protagonista não está mais só. Ele olha para trás e para a frente com a princesa, isto é, vale-se da experiência da leitura.

Mais uma vez tem-se a metáfora da leitura. Para dialogar com uma obra, o leitor se utiliza do seu repertório, ou seja, das suas vivências, constituídas por conhecimentos prévios, pela memória; ele olha para trás. Realizada a leitura, o sujeito apropria-se do texto e prossegue com o sentido construído nessa relação. Agora, Seinão e a princesa seguem juntos, estão bem casados, e o leitor segue também com a leitura feita, embrulhada nele. Se esse embrulho – o sentido – for revisto em outra situação de recepção, deixará de ser o mesmo porque, em outra interação, o sentido concretizado será distinto.

Possivelmente, o leitor mirim não vê a história como uma metáfora da leitura. Há outras concretizações mais viáveis e talvez mais concretas para a criança, como a noção de poder e de superação de limites a partir da perseverança e da confiança em si mesmo. Um leitor de concepção feminista, por exemplo, vai discutir o lugar da mulher na sociedade. Outro aspecto é o amadurecimento do protagonista, apontado pelas duas linguagens, de modo que a técnica empregada na ilustração, o modo como as personagens são representadas e as cores usadas em tons vivos – vermelho e amarelo – são constituintes da obra e devem ser considerados no processo de significação.

Sabemos que a criança geralmente convive com estereótipos. No campo visual, depara-se com modelos cujos traços são precisos, delineados; no entanto, ao desenhar, percebe que não tem domínio do traço e seu acabamento não atinge contornos exatos. No caso desse livro, o modelo assemelha-se ao das produções infantis: as bordas não são retas e há borrões. Essa característica, portanto, pode gerar um estranhamento ao receptor e até provocar a rejeição do material. Cabe ao docente ajudar o estudante a atuar no texto, iluminando-o para que, desse modo, ele atinja outras concretizações.

A recepção: interação e diálogo com a narrativa

Em relação à narrativa *Ah, cambaxirra, se eu pudesse...* nós estudamos, pontualmente, o modo como cada criança, de um grupo de cinco, leu o livro. No caso de *Indo não sei aonde buscar não sei o quê*, empregamos outro procedimento. O *corpus* consistiu de catorze estudantes de três turmas de terceira série (quarto ano), indicados pelos professores por estarem entre os melhores leitores de cada turma. Em relação a esse texto, alguns pontos são destacados a partir da leitura realizada durante a entrevista episódica.

A maioria dos sujeitos não conhece a obra da autora. Dois meninos, um de escola pública e outro de escola particular, e uma menina de escola pública foram os únicos que se lembraram de já terem visto outra(s) obra(s) da autora, mas não apontaram qual.

Angela Lago é reconhecida no meio literário e tem recebido premiações, porém, como percebemos, tais fatos não garantem sua presença nas escolas.

Em geral, os alunos fizeram uma leitura do livro observando simultaneamente palavra e ilustração. Esse tipo de interação permite que os elementos completem-se uns aos outros. A figura sempre acompanha, antecipa ou conclui a narrativa escrita. Deixar de considerá-la gera uma perda de muitos aspectos importantes para a construção do sentido.

A junção palavra-imagem inicia-se na capa e, especialmente aí, ela é muito importante. O apelo e a escolha de um livro ocorrem quase sempre pela capa, que cativa a criança para que siga na leitura. Além disso, uma observação mais atenta desse elemento do livro poderá adiantar, em parte, o conteúdo da história. Entre os entrevistados, a capa obteve dez considerações a favor e uma contra (três alunos se mostraram indiferentes), uma vez que contribuiu no levantamento e na confirmação de hipóteses em relação às propostas de enredo anunciadas. Apenas uma das crianças mostrou-se pouco atenta às ilustrações e justificou o fato afirmando que gosta mais de ler, o que revela que entende a leitura como uma ação associada à palavra e não à visualidade. Esse mesmo sujeito, do sexo feminino e idade de dez anos, transportou suas experiências para a história, construindo assim um significado particular. Segundo ele, a princesa não gostava do Seinão e mesmo assim casou com ele. Eis o motivo: "Minha mãe é meio assim... ela casou não gostando do x que era o namorado dela, mas agora ela ama ele". Esse fato sinaliza o quanto as experiências do leitor contribuem para o entendimento do texto.

O livro obteve um bom índice de aprovação entre os entrevistados. Dos dados explorados nesta pesquisa, depreendeu-se:

- Entre meninos de escola particular, todos tiveram como personagem preferida Seinão. Quanto à personagem mais rejeitada por esse grupo, apareceu o diabo (66%), seguido da princesa (34%).

- Os meninos de escola pública demonstraram a mesma preferência por Seinão (50%) e pelo diabo (50%). Receberam desaprovação o diabo (50%), a princesa (25%) e todos aqueles que riam de Seinão (25%).
- Entre as meninas de escola pública, todas elegeram Seinão como preferido. As personagens mais rejeitadas foram a princesa (66%) e o diabo (34%).

Podemos observar certa semelhança na aceitação ou rejeição entre os meninos de escola particular e as meninas de escola pública. A personagem mais querida por ambos foi o herói, Seinão. Já entre os meninos de escola pública, a mesma proporção de preferência pelo diabo e por Seinão poderia contradizer a tradição de rejeitar a personagem maligna. No entanto, nessa obra, o diabo não é mau; pelo contrário, é simpático e sua atuação é fundamental para o sucesso do protagonista. Destacamos, pois, que esse grupo não se mostrou influenciado pelos valores tradicionais.

Em relação à personagem mais rejeitada, a pesquisa mostrou que as meninas apontaram a princesa como vilã. Nesse aspecto, o diabo foi o mais votado pelos meninos de escola particular de confissão religiosa e também pelos entrevistados de escola pública. Estes últimos, portanto, estão divididos: ora apreciam o diabo (50%), ora o rejeitam (50%). Os estudantes de escola particular de confissão religiosa compartilham crenças e valores que talvez contribuam para a rejeição do diabo, independente do papel que este desempenha na resolução do conflito.

Mais comparações de dados mostram que:
- Os trechos de que os meninos de escola particular mais gostaram foi o do inferno (75%) e o do casamento (25%). Infere-se aqui que na parte que aborda o inferno havia algo pontual, nas ilustrações ou na escrita, capaz de conciliar a opinião anterior desses meninos em relação ao "chefe" do inferno.
- Metade dos meninos de escola pública elegeram o casamento como a parte mais atrativa. Outros 25% destacaram a parte do inferno, e os 25% restantes, a chegada do pacote misterioso.

- Entre as meninas de escola pública, o casamento obteve 50% da aprovação, o inferno, 25%, e o fazer impossível, os 25% restantes.

Pela análise desses dados, constatamos a preferência pelo trecho do inferno, seguido pelo casamento, entre os meninos. Já entre as meninas, vence o casamento.

É importante salientar que a preocupação crítica com os valores sociais (bem *versus* mal) não é inerente a este trabalho. Eles apenas são levantados porque fazem parte da atualização realizada pelos leitores e da pluralidade de sentido presente nesse texto literário.

Os trechos de que as crianças entrevistadas menos gostaram foram:
- Entre os de escola particular: nenhum (66%) e casamento (34%).
- Entre os de escola pública: nenhum (25%), o começo (25%), a parte em que Seinão não sabia aonde ir (25%) e Seinão em frente ao computador (25%).
- Entre as meninas (quando a separação dos dados é por sexo): nenhum (25%), a princesa rindo de Seinão (25%), o começo, porque não contava muita coisa (25%) e a saída do inferno (25%).

Observamos posições distintas sobre o início e o final da narrativa. O final teve conotações positivas, mas o mesmo não ocorreu com o início, indicado por não contar muita coisa, denotando que o leitor mirim busca dados explícitos e não se coloca como um jogador no processo de elucidação do conflito. O mistério em si mostrou-se menos atrativo que o desfecho.

Pela voz das crianças, constatamos a atenção atribuída ao embrulho que o protagonista trouxe do inferno. A maioria dos entrevistados, na primeira vez em que foram indagados sobre o fato, não soube o que dizer, recorrendo ao próprio mistério que o texto apresenta. Diante da insistência do entrevistador, algumas vezes a imaginação infantil fluiu, porém não livremente, por falha do pesquisador, que direcionou a resposta dos sujeitos em relação ao conteúdo do embrulho, sugerindo materiais que poderiam ser postos na caixa.

MENINOS – PERSONAGENS PREFERIDAS
- SEINÃO: 71%
- DIABO: 29%

MENINAS – PERSONAGENS PREFERIDAS
- SEINÃO: 100%

MENINOS – PERSONAGENS REJEITADAS
- DIABO: 57%
- PRINCESA: 28%
- AQUELES QUE RIAM DE SEINÃO: 15%

MENINAS – PERSONAGENS REJEITADAS
- PRINCESA: 66%
- DIABO: 34%

MENINOS – TRECHOS PREFERIDOS DA NARRATIVA
- PARTE DO INFERNO: 50%
- CASAMENTO: 37%
- PACOTE MISTERIOSO: 13%

MENINAS – TRECHOS PREFERIDOS DA NARRATIVA
- CASAMENTO: 50%
- CHEGADA AO INFERNO: 25%
- FAZER O IMPOSSÍVEL: 25%

MENINOS – TRECHOS REJEITADOS DA NARRATIVA
- NENHUM: 44%
- CASAMENTO: 14%
- COMEÇO: 14%
- SEINÃO SEM RUMO: 14%
- SEINÃO NO COMPUTADOR: 14%

MENINAS – TRECHOS REJEITADOS DA NARRATIVA
- PRINCESA RINDO DE SEINÃO: 25%
- NENHUM: 25%
- COMEÇO: 25%
- SAÍDA DE SEINÃO DO INFERNO: 25%

Figura 31 – Gráficos relativos à recepção da obra pelos estudantes de escolas públicas e privadas.

Após os estudos realizados sobre o texto e com os dados das entrevistas, foi elaborada uma proposta de leitura para a narrativa. O roteiro elaborado pela equipe seguiu orientações de Juracy Saraiva, conforme descrito ao discutirmos a elaboração do roteiro de leitura para *Ah, cambaxirra, se eu pudesse...*, e foi readequado ao grupo de estudantes de uma turma de terceira série (quarto ano). Priorizamos um aspecto da história: o protagonista e seu processo de transformação. Em cada momento do roteiro, as proposições almejam auxiliar os estudantes a perceber a personagem, sua caracterização, atuação no enredo e processo de transformação.

ROTEIRO DE LEITURA PARA *INDO NÃO SEI AONDE BUSCAR NÃO SEI O QUÊ*

ETAPA I – Atividade introdutória à recepção do texto

Exploração da personagem Seinão e de sua transformação
Conversa com os estudantes: Na nossa casa quem provoca/faz as ações? E em desenhos animados? E nas histórias que lemos nos livros? Vocês conhecem histórias em que há princesas, príncipes, diabos?

Comentar que na aula será apresentada uma história parecida com contos de fadas. Questionar que personagens apareceriam e como seriam. A partir disso, pedir que façam os desenhos de diabos, príncipes e princesas e organizar um painel.[8] Depois, conversar, a partir dos desenhos, sobre as características comuns a cada personagem e as possíveis diferenças na forma de caracterizá-las.

DIABO	PRÍNCIPE	PRINCESA

Os alunos irão comparar as imagens, indicando semelhanças e diferenças entre as categorias. Com essa atividade, busca-se observar modelos/paradigmas/estereótipos na caracterização dessas personagens.

ETAPA II – Leitura compreensiva e interpretativa do texto

1. O professor lê o texto em voz alta para os alunos, sem mostrar as imagens. A seguir, os estudantes leem/manuseiam o livro em grupos (um livro para, no máximo, cinco alunos).

---

[8] Embora essa atividade de desenho tenha sido realizada, na avaliação do roteiro consideramos que deveria ter sido eliminada, uma vez que não houve instrumentalização para fazer o desenho. Além disso, o foco da proposta é a atuação do protagonista e seu processo de transformação, de modo que o desenho da criança não contribui diretamente para o objetivo definido.

2. Solicitar que busquem no painel as personagens desenhadas que sejam parecidas com as da história, circulando-as. Questionar os alunos se o diabo, o príncipe e a princesa da história são iguais ou diferentes daqueles pesquisados no painel. Identificar as semelhanças.

   Provavelmente, todas as personagens do conto serão diferentes das figuras estereotipadas. Explorar o papel de cada personagem para tornar seus traços mais visíveis.

3. Procurar, no início da história, três palavras usadas para falar da personagem Seinão e anotá-las nos espaços.

Exemplo:

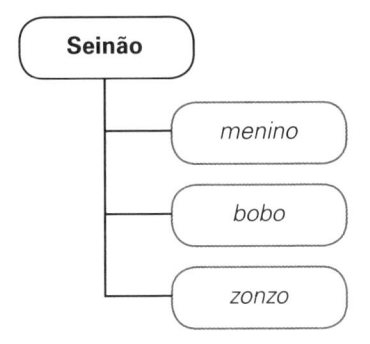

```
Seinão
 ├── menino
 ├── bobo
 └── zonzo
```

4. Encontrar no livro uma imagem que mostre Seinão com as características anotadas.

5. Seinão é sempre bobo? Em que lugares da narrativa ele deixa de ser bobo?

```
      inferno
        ↑
palácio ● corte
      caminho
```

Girar o ponteiro do relógio e explicar o que aconteceu com a personagem no local indicado pelo ponteiro. Depois, explicar se, nesse local, a atitude de Seinão foi boba ou não.

Discutir as respostas dos alunos.

6. A temporada no inferno ensinou muitas coisas para Seinão. O que será que ele estava fazendo lá para aprender tantas coisas?

Observar outra vez as ilustrações e as páginas do livro; a seguir, escrever o que Seinão pode ter aprendido no inferno e como isso aconteceu.

7. Lendo a história, podemos descobrir quanto tempo Seinão ficou no inferno? E quanto tempo ele demorou para voltar ao palácio? Foi muito tempo? Foi pouco tempo?

Procurar no texto palavras e imagens que ajudem a dizer quanto tempo durou o estágio de Seinão no inferno.

8. Escrever três características do diabo dessa história e encontrar no livro imagens que mostrem as características anotadas.

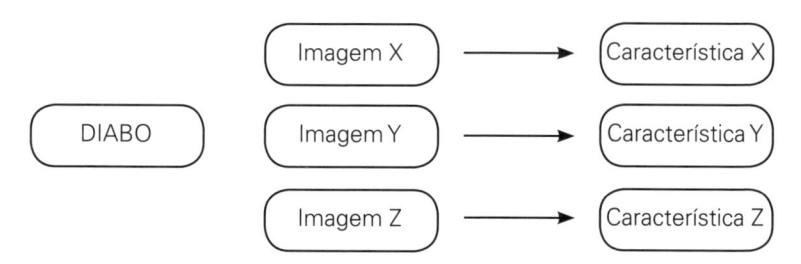

```
                    ( Imagem X ) ——→ ( Característica X )
      ( DIABO )     ( Imagem Y ) ——→ ( Característica Y )
                    ( Imagem Z ) ——→ ( Característica Z )
```

9. Ao longo do livro, as personagens aparecem em diferentes lados das páginas. Acompanhar as localizações de Seinão e do diabo nas páginas que forem indicadas pelo professor. (Mostrar as páginas iniciais 5, 6, 11, 12 e 15, em que Seinão está à esquerda, até a página 17, quando ele muda de lado, no inferno.)

Dividir o quadro em duas partes, horizontalmente, e chamar os alunos para registrar a posição de cada personagem.

```
┌─────────────────────────────────────────────────────────────┐
│ Página 15                                                   │
│                                                             │
│           ( SEINÃO )                    ( DIABO )           │
│                                                             │
│  Ação correspondente: _____   Ação correspondente: _____│
│  ( ) esperto                    ( ) esperto                 │
│  ( ) bobo                       ( ) bobo                    │
│                                                             │
│ Páginas 16-17 e 18-19                                       │
│                                                             │
│           ( SEINÃO )                    ( DIABO )           │
│                                                             │
│  Ação correspondente: _____   Ação correspondente: _____│
│  ( ) esperto                    ( ) esperto                 │
│  ( ) bobo                       ( ) bobo                    │
└─────────────────────────────────────────────────────────────┘
```

Qual o lado das páginas em que Seinão aparece mais frequentemente e quando isso muda?

Deve ficar claro que a mudança espacial representa uma transformação (interna e externa) das personagens – troca de papéis bobo/esperto.

10. Depois que Seinão saiu do inferno, o que ele fez? Observar no livro as cenas que mostram a ação de Seinão depois de estar no inferno. Dramatizar as ações e comportamentos das personagens após a saída de Seinão do inferno. Essas atitudes foram espertas ou bobas? Por quê?

11. Comparar a imagem e as características de Seinão no início e no final da história. O que mudou? Como podemos perceber a transformação de Seinão?

Propor a contraposição entre a gestualidade do início da narrativa e a do final. Vamos mostrar a princesa no início da história. Como ela era? O que ela fazia? Então, mostrar como ela se comporta depois que Seinão voltou do inferno. Como ela é? O que mudou? Por quê?

ETAPA III – Transferência e aplicação da leitura

Organização de painel em grupo e de narrativa individual

Quem era Seinão e o que lhe aconteceu do início ao final da história? Pintar formas e cores com tintas, mostrando as transformações do protagonista na história, do início até o fim.

Organizar um painel com palavras, desenhos e outros elementos que explorem a situação vivida por Seinão.

Observar/analisar como os alunos representaram a transformação do protagonista. Em seguida, cada aluno deve criar uma personagem e seu processo de transformação, registrando-o em um texto com características verbais e visuais como a narrativa estudada. Tais produções serão expostas em painel nos corredores da escola.

Vivência da leitura na escola: "história de pegar trouxa"

A aplicação da proposta de leitura do livro ocorreu em uma turma de terceira série do ensino fundamental, em uma escola pública localizada na periferia de Caxias do Sul. Consideramos como focos de análise a natureza do diálogo estabelecido entre professor e alunos, bem como o modo de recepção da obra pelas crianças.

Para desencadear a recepção do texto, na primeira etapa as crianças são indagadas sobre quem faz as ações numa casa, nos desenhos animados, e quem age nos contos de fadas. Nas respostas, é destacado o papel da personagem, em especial, do herói. Levantam-se hipóteses para as ações correspondentes a um príncipe, a uma princesa e a um diabo. As crianças são convidadas a desenhar essas três personagens. A seguir, o professor lê a história e depois solicita que busquem no painel as personagens desenhadas parecidas com as da história.

Os exercícios de leitura compreensiva e interpretativa focam a caracterização de Seinão e o modo como ele atua em diferentes cenários. Visualidade e palavra configuram a personagem, de modo que o leitor é convidado a observar que há uma mudança na localização espacial do protagonista nas páginas do livro. Quando o estado da personagem é frágil, aparece sempre à esquerda e, à medida que vai se tornando esperto, após a chegada ao inferno, muda de lado e fica à direita, além de passar a movimentar-se com liberdade, em oposição às imagens estáticas do início da narrativa. No exercício de transferência e aplicação da leitura, esperamos que o aluno associe cores aos estados do protagonista, valendo-se de material diverso.

Dentre os pontos fundamentais da aplicação do roteiro, constatamos o interesse geral pela personagem secundária, o diabo, e não pelo protagonista, o menino. A cada leitura realizada, os alunos mantiveram a atenção dirigida para entender a atuação dessa personagem, vista como malévola. Houve um estranhamento pelo fato de o bobo da história ter enganado um ser tão temido. Os leitores se dão conta de que o diabo não desempenha seu papel tradicional, mas passa da condição de enganador a de enganado.

A percepção da inversão de papéis se concretizou no exercício em que as crianças identificaram as personagens e respectivas ações em várias páginas do livro, mostrando quem aparece e o que faz, no começo e no fim da obra. Os comentários dos alunos refletiram seu entendimento em frases como: "Mudaram as coisas, as posições. Seinão trocou de lugar porque ficou esperto." ou "Enquanto o diabo dormia e cantava, Seinão embaralhava os arquivos, fazendo com que um ficasse esperto e o outro ficasse bobo". Esta última afirmação expressa que os papéis se invertem e a transformação é realizada. O bobo passa a ser um vencedor, e o esperto, a ser bobo, referindo um ditado popular: "Não há bem que sempre dure nem mal que nunca se acabe".

Os questionamentos da professora estimularam as crianças a perceber a diferença entre os termos "trouxa" e "embrulho", cujas peculiaridades semânticas contribuem para explicitar o processo de mudança da personagem principal. Ao serem questionados: "Quando Seinão usava trouxa?", de imediato responderam: "Quando os outros riam dele!". A seguir, foi colocada a pergunta: "Quando Seinão usava o embrulho?". Muitas respostas foram apresentadas, e todas ajudaram na percepção da transformação do que o embrulho pode significar para o protagonista. Por exemplo, "Quando ele fugiu do diabo, porque tinha bagunçado no computador", "Quando se casou com a princesa", "Quando ele era esperto" ou "Quando ele embrulhou as personagens: a princesa e o diabo".

Outros elementos que se destacaram na testagem do roteiro foram as noções de tempo e de espaço, que, para os alunos, eram imprecisas e difíceis de ser interpretadas. A imprecisão do que seria "a temporada no inferno" gerou uma série de respostas, dúvidas e até mesmo tumulto. Foram registradas respostas como: "Passaram muitos anos, mas não muitos, porque Seinão não estava de bengala"; "Demorou uma temporada; pode ser muito tempo ou pouco, mas parece muito" ou "Só olhando, a temporada parece rápida, mas se for ler parece mais devagar". Notamos que uma das crianças, para descrever o tempo passado, usou o critério de quantas páginas da história foram utilizadas para relatar as ações ocorridas no inferno. Essas afirmações ressaltam que a percepção do tempo decorrido é duvidosa. Nesse momento, a professora intervém, provocando a dúvida sobre a determinação do tempo relacionada ao número de páginas do exemplar. A mediação docente baliza o pensamento, a criação, a expressão, a confrontação de hipóteses; é uma âncora para o leitor iniciante.

O lugar apresentado não é caracterizado como um cenário tradicional dos contos infantis, nem nas imagens nem na verbalização. O livro traz uma imprecisão já no seu título *Indo não sei aonde buscar não sei o quê*, que apresenta indefinição em relação ao lugar e ao objeto buscado. Porém, o local identificado pelos alunos é o inferno, que se assemelha a uma fábrica e se mostra como o único espaço definido pela união entre ilustração e palavra.

As personagens são fundamentais na constituição da narrativa. Assim, o roteiro aborda a caracterização das personagens, sendo a motivação dos alunos desencadeada por uma conversa, por questionamentos feitos pela docente e pela representação gráfica de ideias elaboradas pelos estudantes. A conversa foi iniciada por perguntas que sugeriram representações das crianças sobre a aparência de como seria um príncipe, uma princesa e um diabo. A exploração das percepções sobre as personagens foi explicitada em respostas como: "Eles [príncipes] têm coroas, são mandões, ricos, usam roupas estranhas, moram no castelo, têm mordomia". Quando surgiu a pergunta "Como são as princesas?", a resposta foi unânime: "Bonitas, com vestido de noiva comprido". No momento em que a professora questionou qual a visão deles sobre o diabo, o interesse cresceu e todos quiseram responder. Diante da multiplicidade de posições, as características comuns puderam ser sintetizadas em: "Ele é chifrudo, com rabinho, espinhos nas pernas, tem um garfo... tridente, e é vermelho!". Todas as descrições foram aceitas, demonstrando a convergência de ideias na construção do estereótipo da personagem e também na construção social e cultural dessa imagem.

Os desenhos elaborados sinalizaram que as crianças compartilham opiniões semelhantes, ressaltando-se a presença de padrões culturais, trazidos de seu imaginário: as princesas são belas, usam longos vestidos, têm cabelos compridos, a maioria é loira; o diabo é vermelho e usa tridente; o príncipe é elegante e cobre-se de joias.

Vários exemplares do livro foram distribuídos para os estudantes explorarem, lerem e manusearem em grupos. O contato com as imagens gerou muitos comentários, pela falta de correspondência entre o que foi desenhado e o que era visto no momento. Alguns se defrontaram com o fato de o diabo não ser vermelho, bem como chamou a atenção ele ser aparentemente preguiçoso, como mostra a constatação: "Olha o *tipo* do capeta... tocando viola!". A indignação foi expressa na pergunta: "Por que o diabo não é vermelho?". As ilustrações do texto geraram conflito, pois não coincidiram com o imaginário do aluno.

A professora potencializou a comparação entre o que foi produzido graficamente e aquilo que a obra apresenta: "O príncipe da história é parecido com os outros?". As respostas ressaltaram características importantes para esses leitores. A percepção das crianças foi além da aparência, e as falas indicaram expectativas em relação às atitudes das personagens, como: "Os príncipes não falam *sei não*, eles falam palavras chiques" e "Não, porque ele é medroso, baixinho e burro!", expectativas que remetiam à elegância, à polidez e à esperteza e que foram contrariadas.

Na continuidade das observações, o conceito de *desconhecido* foi entendido imediatamente e teve destaque na conversa dos estudantes. No caminho do protagonista rumo ao desconhecido, Seinão se lança sem receio e sem destino, indo não sabe aonde buscar não sabe o quê. A imprecisão da história foi percebida desde a apresentação do título e da capa. Nesse momento, a mediadora indagou se seria possível ter alguma ideia sobre o que a obra iria contar. A resposta foi unânime: "Não dá para perceber, nem pela imagem nem pelo título". Esse é um elemento motivador de curiosidade e gera o desejo de seguir na descoberta do lugar aonde a personagem irá e o que buscará.

Após a leitura, a maioria das crianças mostrou-se decepcionada –, mas continuou expressando curiosidade sobre o final –, pois não foi revelado o conteúdo do embrulho carregado por Seinão. Um dos leitores disse: "Essa história é pega-trouxa". Ao ser indagado sobre o motivo de tal conceituação, reclamou do fato de não revelar o que havia no embrulho. Uma menina, atenta em relação ao que a personagem levava, disse: "Fiquei curiosa com o embrulho... o que tinha dentro dele?". Essas observações demonstram como esses leitores buscam a certeza, não se satisfazem com um final impreciso. O desfecho confunde, decepciona, faz que se tente buscar uma explicação para o não revelado. O fato de ser uma "história pega-trouxa" cria incertezas e faz que a narrativa não seja apreciada pelo grupo. Nesse caso, é necessária a figura de um mediador que auxilie no entendimento da leitura como jogo, no qual o leitor é coautor do texto.

Em relação às atividades do roteiro de leitura, notamos que o tempo necessário para a concretização da proposta foi muito extenso. A aplicação do roteiro ocorreu em três encontros, cada um com duração aproximada de três horas, o que se configurou como tempo excessivo, considerando as características dos leitores iniciantes e mesmo dos mais competentes.

No primeiro encontro, as crianças participaram bastante: respondiam às questões, colaboravam e estavam sempre atentas a qualquer indagação, talvez pela novidade da história. Porém, no segundo, houve reclamações quando a docente solicitou nova leitura do texto: esse fato sinaliza que os estudantes não veem o texto literário como uma possibilidade de ter surpresas renovadas a cada encontro – uma vez lido, não precisa ser relido.

A conversa entre os alunos aumentou muito, houve desentendimentos entre colegas de um mesmo grupo e reduziu-se consideravelmente a vontade de realizar as atividades propostas. Todos esses aspectos reunidos diminuíram a participação da turma. A aplicação mostrou que uma estratégia demorada para exploração da leitura de um texto literário, como o roteiro em questão, pode tornar-se maçante e desviar-se de seu principal objetivo, que é a capacitação para efetivar o diálogo com o texto. Nesse sentido, a proposta testada deveria ser reduzida, revista, a fim de diminuir o número de exercícios aplicados.

Ainda com base nas observações em sala de aula, notamos que esses leitores mirins apresentam uma série de restrições em relação à significação da leitura literária, a qual é percebida como uma obrigação.

Iniciativas isoladas pouco contribuem para a formação do leitor literário. A instrumentalização para a leitura passa por uma boa seleção da obra, pelo planejamento adequado e pela presença constante do texto literário na escola, como um enigma a ser desvendado pelo leitor. Excesso de tempo e aprofundamento em várias questões fogem aos princípios norteadores de uma experiência de aprendizagem mediada, que considera em primeiro lugar as características do leitor e das ações que lhe são significativas. Desse modo, o estudante aprende que uma obra pode ser lida várias vezes sem se tornar cansativa, porque em cada leitura podem ser construídos sentidos não percebidos na interação anterior.

No conto em análise, percebemos as dimensões do literário e, de modo especial, do autoconhecimento. Ao retratar Seinão – um menino tímido, inseguro, alvo de deboche e de humilhações, mas sonhador e determinado –, a narrativa apresenta uma personagem com a qual muitas crianças (quiçá adultos) se identificam, pois também convivem com descobertas, medos e inseguranças. As peripécias de Seinão são vividas pelo leitor e armazenadas como uma experiência positiva, demonstrando que o sucesso e o equilíbrio podem ser alcançados por meio da busca pautada na persistência.

Para virar a última página

Tem-se a criança, o texto literário e o processo mediador. A criança, apaixonada pelas possibilidades lúdicas, humanas, linguísticas e formadoras do texto literário. A obra, aberta à criança, acolhe-a, guardando espaços para ela atuar. Entre ambas, algumas vezes, se interpõe a mediação escolar. Nessa interposição, muitos diálogos e aprendizagens podem ser construídos. Entretanto, algumas vezes, a escola contribui para o rompimento dessa relação apaixonada entre a criança e a literatura. O objetivo deste trabalho é oferecer subsídios à escola para que ela não apenas propicie a paixão da criança pelo livro, mas a potencialize e a torne um campo rico de aprendizagens. A testagem da proposta metodológica indica que o caminho é possível. Certamente, esse é o desejo de todos os envolvidos no processo educativo – alunos, pais, professores, pesquisadores. O processo pautado pela mediação torna o leitor um ser ativo, a quem desafios levam a pensar, dialogar, pesquisar, elaborar, responder e, consequentemente, transformar-se. A tarefa é a promoção de experiências interativas e lúdicas no ambiente de sala de aula, no qual as relações sejam favoráveis a aprendizagens mútuas.

Os docentes, antes da proposição de quaisquer estratégias de leitura a seus alunos, precisam experimentar o desafio de ser leitor, pesquisar e observar atentamente, para conhecer o texto e suas características, podendo exercitar a atribuição de sentido pelas obras de literatura infantil.

Acreditamos que a instrumentalização de leitores iniciantes para a leitura de textos literários, ou seja, a significação construída a partir da interação com os códigos constituintes do texto e das inter-relações que se estabelecem entre eles, contribui para o desenvolvimento de competências de leitura que, provavelmente, serão transpostas para o processamento de outros tipos de textos. A publicidade e o jornalismo, por exemplo, utilizam amplamente palavras e imagens nos seus textos. Dessa forma, o leitor capaz de estabelecer relações entre as linguagens verbal e visual e de atribuir-lhes sentido em obras literárias estará, provavelmente, mais preparado para lidar com outros textos híbridos.

Além disso, a vivência do literário propicia ao leitor situações de reflexão sobre si mesmo, pois lhe mostra novas perspectivas a propósito de questões da natureza humana que podem gerar uma reflexão do ser sobre sua própria consciência. Dessa forma, a literatura contribui para o autoconhecimento, significando não apenas o mundo, mas a identidade e a existência do leitor.

Literatura é arte, e literatura infantil é uma manifestação artística cujos sentidos se efetivam pela interação verbal e visual, fato que pode tornar ainda mais denso o processo de leitura. Lamentavelmente, os leitores têm dificuldade para efetuar uma leitura que ultrapasse o sentido mais imediato das palavras, tornando-se fundamental a presença de um mediador no processo de instrumentalização da leitura literária, que contribui para que o leitor atinja sua autonomia na leitura, caminhando, como Seinão, com próprias pernas.

Caro leitor,

Nas páginas deste livro compartilhamos com você os resultados de uma parte significativa de nosso tempo de trabalho investigativo e de amor pela literatura infantil, pela leitura e pela docência.

Deixamos o nosso abraço, desejosas de que este texto tenha provocado alguns sabores e saberes acerca da leitura.

Obrigada pela sua companhia!

Flávia e Neiva

BIBLIOGRAFIA

ADAM, Jean-Michel; LORDA, Clara-Ubaldina. *Lingüística de los textos narrativos*. Barcelona: Editorial Ariel, 1999.

AZEVEDO, Ricardo. *Armazém do folclore*. Ilustrações do autor. São Paulo: Ática, 2002.

BAKHTIN, M. *Estética da criação verbal*. São Paulo: Martins Fontes, 1992.

BANKS, Kate. *Se a lua pudesse falar*. Ilustrações de Georg Hallensleben. São Paulo: Cosac Naify, 2000.

BARROS, Manoel de. *Exercícios de ser criança*. Bordados de Antônia Zulma Diniz, Ângela, Antônia, Marilu, Martha e Sávia Dumont sobre os desenhos de Demóstenes Vargas. Rio de Janeiro: Salamandra, 1999.

BARTHES, Roland et al. *Análise estrutural da narrativa*: pesquisas semiológicas. Tradução de Maria Zilda Barbosa Pinto. Petrópolis: Vozes, 1971.

BAUER, Martin W.; GASKELL, George. *Pesquisa qualitativa com texto, imagem e som*: um manual prático. 2. ed. Petrópolis: Vozes, 2003.

BIBLIOTHÈQUE NATIONALE DE FRANCE. *Contes de fées*. Disponível em: <http://expositions.bnf.fr/contes/index.htm>. Acesso em: 15 abr. 2006.

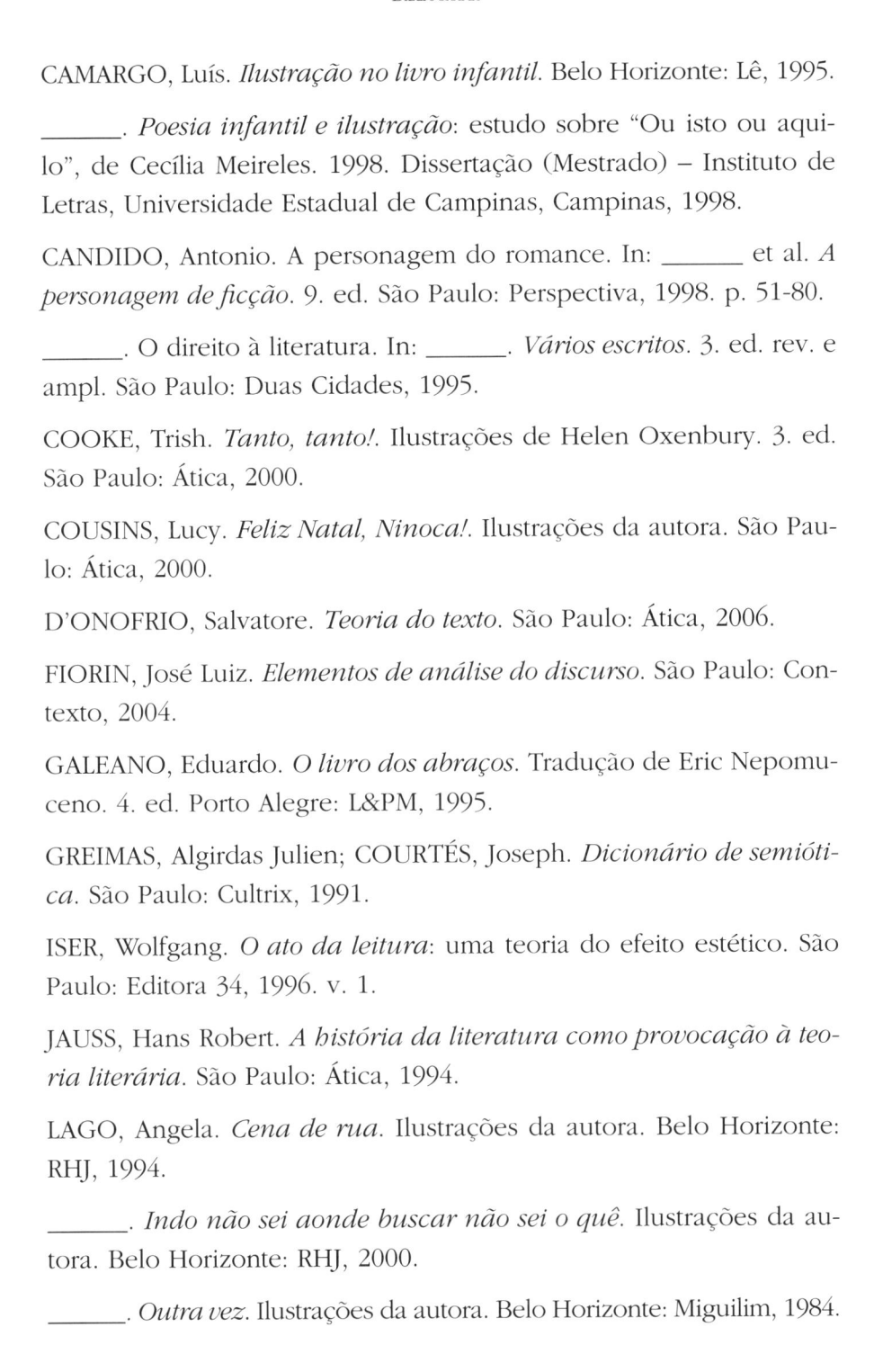

CAMARGO, Luís. *Ilustração no livro infantil*. Belo Horizonte: Lê, 1995.

_____. *Poesia infantil e ilustração*: estudo sobre "Ou isto ou aquilo", de Cecília Meireles. 1998. Dissertação (Mestrado) – Instituto de Letras, Universidade Estadual de Campinas, Campinas, 1998.

CANDIDO, Antonio. A personagem do romance. In: _____ et al. *A personagem de ficção*. 9. ed. São Paulo: Perspectiva, 1998. p. 51-80.

_____. O direito à literatura. In: _____. *Vários escritos*. 3. ed. rev. e ampl. São Paulo: Duas Cidades, 1995.

COOKE, Trish. *Tanto, tanto!*. Ilustrações de Helen Oxenbury. 3. ed. São Paulo: Ática, 2000.

COUSINS, Lucy. *Feliz Natal, Ninoca!*. Ilustrações da autora. São Paulo: Ática, 2000.

D'ONOFRIO, Salvatore. *Teoria do texto*. São Paulo: Ática, 2006.

FIORIN, José Luiz. *Elementos de análise do discurso*. São Paulo: Contexto, 2004.

GALEANO, Eduardo. *O livro dos abraços*. Tradução de Eric Nepomuceno. 4. ed. Porto Alegre: L&PM, 1995.

GREIMAS, Algirdas Julien; COURTÉS, Joseph. *Dicionário de semiótica*. São Paulo: Cultrix, 1991.

ISER, Wolfgang. *O ato da leitura*: uma teoria do efeito estético. São Paulo: Editora 34, 1996. v. 1.

JAUSS, Hans Robert. *A história da literatura como provocação à teoria literária*. São Paulo: Ática, 1994.

LAGO, Angela. *Cena de rua*. Ilustrações da autora. Belo Horizonte: RHJ, 1994.

_____. *Indo não sei aonde buscar não sei o quê*. Ilustrações da autora. Belo Horizonte: RHJ, 2000.

_____. *Outra vez*. Ilustrações da autora. Belo Horizonte: Miguilim, 1984.

LARROSA, Jorge. *La experiência de la lectura:* estudos sobre literatura y formación. México: Fondo de Cultura Económica, 2003.

_____. Literatura, experiência e formação. In: COSTA, M. V. *Caminhos investigativos*: novos olhares na pesquisa em educação. Rio de Janeiro: DP&A, 2002. p. 133-160.

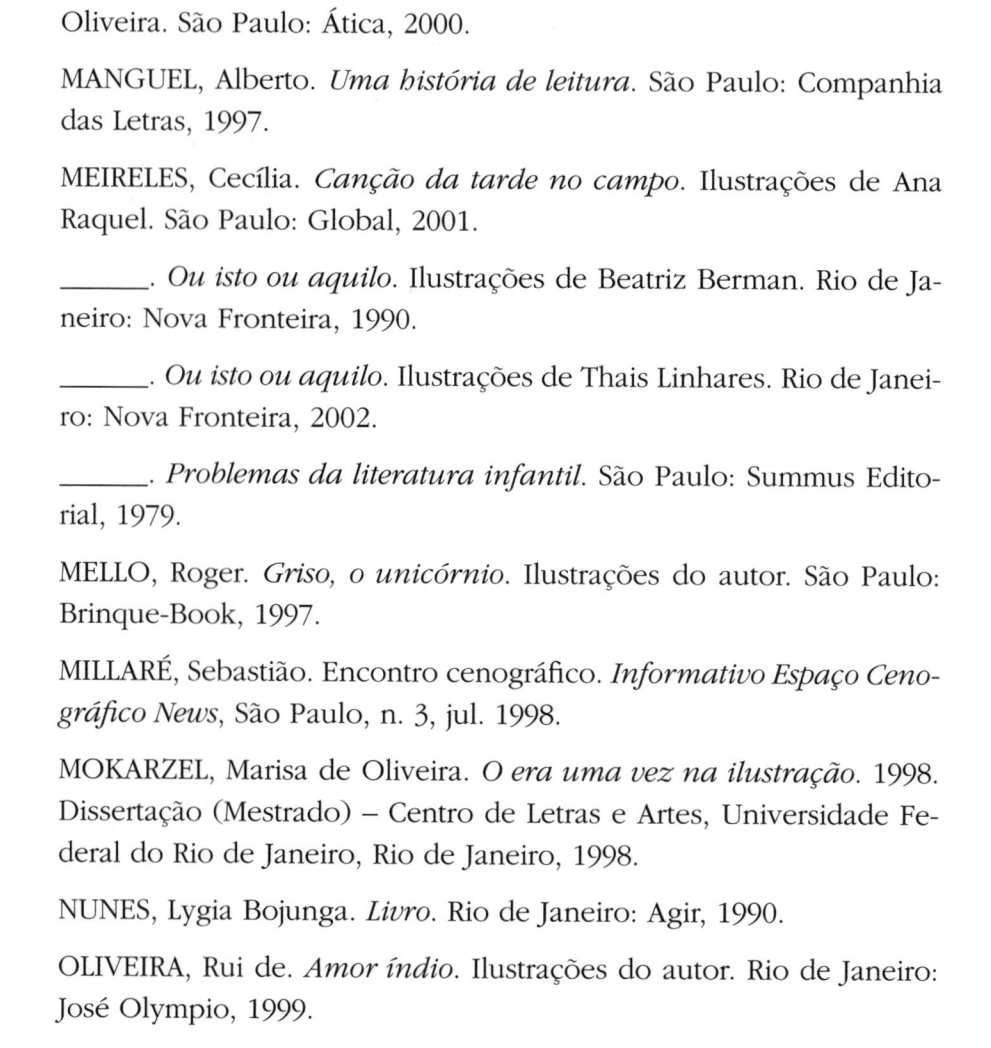

MACHADO, Ana Maria. *Ah, cambaxirra, se eu pudesse...* Ilustrações de Graça Lima. São Paulo: FTD, 2003. (Conta de Novo).

_____. *Melusina*: a dama dos mil prodígios. Ilustrações de Rui de Oliveira. São Paulo: Ática, 2000.

MANGUEL, Alberto. *Uma história de leitura.* São Paulo: Companhia das Letras, 1997.

MEIRELES, Cecília. *Canção da tarde no campo.* Ilustrações de Ana Raquel. São Paulo: Global, 2001.

_____. *Ou isto ou aquilo.* Ilustrações de Beatriz Berman. Rio de Janeiro: Nova Fronteira, 1990.

_____. *Ou isto ou aquilo.* Ilustrações de Thais Linhares. Rio de Janeiro: Nova Fronteira, 2002.

_____. *Problemas da literatura infantil.* São Paulo: Summus Editorial, 1979.

MELLO, Roger. *Griso, o unicórnio.* Ilustrações do autor. São Paulo: Brinque-Book, 1997.

MILLARÉ, Sebastião. Encontro cenográfico. *Informativo Espaço Cenográfico News*, São Paulo, n. 3, jul. 1998.

MOKARZEL, Marisa de Oliveira. *O era uma vez na ilustração.* 1998. Dissertação (Mestrado) – Centro de Letras e Artes, Universidade Federal do Rio de Janeiro, Rio de Janeiro, 1998.

NUNES, Lygia Bojunga. *Livro.* Rio de Janeiro: Agir, 1990.

OLIVEIRA, Rui de. *Amor índio.* Ilustrações do autor. Rio de Janeiro: José Olympio, 1999.

_____. *Pelos Jardins Boboli*: reflexões sobre a arte de ilustrar livros para crianças e jovens. Rio de Janeiro: Nova Fronteira, 2008.

PARSONS, Michael J. *Compreender a arte*: uma abordagem à experiência estética do ponto de vista do desenvolvimento cognitivo. Lisboa: Presença, 1992.

PAULINO, Graça. Diversidade de narrativas. In: PAIVA, Aparecida et al (Orgs.). *No fim do século:* a diversidade – o jogo do livro infantil e juvenil. 2. ed. Belo Horizonte: Autêntica, 2003. p. 39-48.

PROPP, Vladimir Iakovlevitch. *Morfologia do conto maravilhoso*. Rio de Janeiro: Forense Universitária, 1984.

RAMOS, Flávia Brocchetto. Uma brincadeira infantil: o leitor implícito em "Colar de Carolina". In: MELLO, Ana Maria Lisboa (Org.). *Cecília Meireles e Murilo Mendes*. Porto Alegre: Unipron, 2002.

ROSSI, Maria Helena Wagner. *Imagens que falam*: leitura da arte na escola. Porto Alegre: Mediação, 2003.

SANDR7ONI, Luciana. *Chapeuzinho Vermelho e outros contos por imagem*. Ilustrações de Rui de Oliveira. São Paulo: Companhia das Letrinhas, 2002.

SARAIVA, Juracy Assmann (Org.). *Literatura e alfabetização*: do plano do choro ao plano da ação. Porto Alegre: Artmed, 2001.

_____; MÜGGE, Ernani. *Literatura na escola*: proposta para o ensino fundamental. Porto Alegre: Artmed, 2006.

SARAMAGO, José. *As pequenas memórias*. São Paulo: Companhia das Letras, 2006.

SHAKESPEARE, William. *A tempestade*. Adaptação e ilustrações de Rui de Oliveira. São Paulo: Companhia da Letrinhas, 2000.

SOARES, Magda. Escolarização da leitura literária. In: EVANGELISTA, Aracy Alves Martins; BRANDÃO, Heliana Maria Brina; VERSIANI, Zélia (Orgs.). *A escolarização da leitura literária*: o jogo do livro infantil e juvenil. 2. ed. Belo Horizonte: Autêntica, 2001.

_____. Ler, verbo transitivo. In: PAIVA, Aparecida et al (Orgs.). *Leituras literárias*: discursos transitivos. Belo Horizonte: Autêntica, 2005. (Coleção Literatura e Educação).

SOUZA, Angela Leite. *A cotovia e outras fábulas de Leonardo da Vinci*. Ilustrações de Rui de Oliveira. Belo Horizonte: Dimensão, 1999.

WOOD, Audrey. *A casa sonolenta*. Ilustrações de Don Wood. 16. ed. São Paulo: Ática, 2003.

ZILBERMAN, Regina. *Literatura infantil na escola*. 10. ed. São Paulo: Global, 1984.

Coleção Leitura e Formação

***Criticidade e leitura*: ensaios**
Ezequiel Theodoro da Silva

***Educações do olhar*: leituras – Volume I**
Carlos Miranda e Gabriela Rigotti

Educações do olhar: leituras – **Volume II**
Carlos Miranda e Gabriela Rigotti

Escola e leitura: **velha crise, novas alternativas**
Vários autores

Escritos sobre jornal e educação: **olhares de longe e de perto**
Carmen Lozza

Leitura e desenvolvimento da linguagem
Ana Luiza B. Smolka, Ezequiel Theodoro da Silva, Maria da Glória Bordini e Regina Zilberman

***Leitura, cultura, infância*: Lobato**
Vários autores

Leitura na escola
Vários autores

***Leituras aventureiras**: por um pouco de prazer (de leitura) aos professores*
Ezequiel Theodoro da Silva

***Literatura e pedagogia**: ponto & contraponto*
Regina Zilberman e Ezequiel Theodoro da Silva

O jornal na vida do professor e no trabalho docente
Vários autores

Impresso por:

Graphium
Gráfica e editora

Tel: (11) 2769-9056